GRAMMAIRE DES
IMMEUBLES
PARISIENS

Six siècles de façades
du Moyen Âge à nos jours

CLAUDE MIGNOT

Photographies
JACQUES LEBAR

Pour Marine et Romain

Une maison appartient à son propriétaire,
mais sa façade est à tout le monde.
Victor Hugo

L'avenue de l'Opéra, vers 1900.

PARIS MODERNE

NOMS DES ARCHITECTES
DONT LES ŒUVRES COMPOSENT
CE VOLUME.

BIET.	GRILLON.
BLANCHON.	HAUDEBOURT.
G.A.BLOUET.	HEURTELOUP.
CHATILLON.	J.J.HITTORFF.
CÉCILE.	A.LECLERC et DELTIL
CHARPENTIER.	J.F.J.LECOINTE.
CANNISSIE.	J.B.LESUEUR.
F.DEBRET et de LUX	MAUBERTIER.
DESTAILLEUR.	B.NEPVEU.
L.N.M.DESTOUCHES.	PELLECHET.
DUBOIS.	PHILIPPON.
DUPUIS.	PERRIER.
DUSSILLON.	PROTAIN.
FAMIN.	H.VAN-CLEEMPUTTE.
FRŒLICHER.	L.VAN-CLEEMPUTTE.
M.P.GAUTHIER.	L.T.J.VISCONTI.
GOURLIER.	

MAISONS DE CAMPAGNE.

A.D.

Promenades architecturales

"Nous montions sur l'impériale de Montrouge-Gare de l'Est. Nous feuilletions le boulevard comme un album."

Léon-Paul Fargue, *D'après Paris*, 1932, dans *Le Piéton de Paris*, Gallimard, Paris, 1993.

L'immeuble
et le tissu parisien

L e caractère, le charme, et même la beauté de Paris, tiennent autant à ses maisons et à ses immeubles qu'à ses monuments. Ce tissu ordinaire façonne le paysage des rues et des boulevards, des carrefours et des places. L'immeuble est "l'article de Paris" le plus commun, mais il mérite qu'on s'y arrête, qu'on lève le nez et qu'on regarde. Nous sommes sensibles à l'impression d'ensemble, au paysage des toits, mais nous ne savons pas toujours bien voir le paysage de la rue, cette variété bien tempérée d'ordonnances et de motifs : riches portails, balcons filants et bow-windows opulents, consoles ornées et frises sculptées, mascarons et cariatides dans tous leurs états.

Depuis Jean-Jacques Rousseau, nous savons combien un peu de botanique peut accroître le plaisir d'une promenade par les prés et par les bois ; de manière analogue, nous ne visons ici qu'à offrir au promeneur, au "piéton de Paris", quelques repères chronologiques, quelques éléments de syntaxe architecturale et un répertoire de motifs, suivis d'une anthologie d'exemples typiques. Bref, nous espérons donner quelques clés de lecture qui permettent de déchiffrer ce singulier discours architectural, ce dialogue silencieux des façades qui se saluent d'un trottoir à l'autre, d'un quartier à l'autre, d'un siècle à l'autre, pièces d'un puzzle sans fin – un point à l'endroit, un point à l'envers –, celui du paysage des rues et des boulevards parisiens.

Si l'architecture est un livre minéral, traverser Paris, c'est parcourir une vaste bibliothèque, avec ses volumes précieux et ses livres à quatre sous, ses collections entières rangées sur les avenues et ses curiosités, ses incunables et ses dernières nouveautés. Traverser Paris, c'est déchiffrer les gabarits et les saillies, les styles et les ornements, pour faire vibrer la corde du temps.

À Paris, la structure de ce tissu urbain est plus complexe qu'ailleurs : pour partie encore concentrique autour d'un noyau historique, comme à Rome

ou Amsterdam, pour partie en patchwork de quartiers juxtaposés aux caractères contrastés, comme
à Saint-Pétersbourg, pour partie en point de croix,
comme à New York, où, sur une grille primitive in-
changée, les immeubles se renouvellent parcelle par
parcelle, point par point, au cours du temps.

Sur la carte de Paris, le réseau des rues et des
boulevards laisse lire encore assez aisément le jeu
des enceintes concentriques successives, qui tent-
èrent de borner l'expansion de la ville : réseau des
rues étroites de l'ancien Paris, contenu dans le
cercle des Grands Boulevards, sur lequel est venu se
superposer le large maillage des percées modernes,
de la rue Rambuteau aux percées d'Haussmann ;

tissu plus homogène du Paris moderne, "capitale du
XIXe siècle", dans le double cercle des boulevards des
Maréchaux et du périphérique, tracés sur l'enceinte
de 1840, où restent perceptibles le tissu linéaire des
anciens faubourgs et le noyau des villages suburbains qui viennent brouiller le développement radio-
concentrique théorique ; collage des ZAC (*zones
d'aménagement concerté*) contemporaines dans
les quartiers populaires et les friches industrielles.

Mais, si le regard passe de l'échelle du quartier
à celle des rues, tant celles du vieux Paris que du
Paris moderne, le passant peut observer le lent travail de l'histoire, qui juxtapose de rares maisons à
pignon, les belles maisons des XVIIe et XVIIIe siècles,
les premiers immeubles de rapport de la fin du XVIIIe,
puis toute la gamme des immeubles du XIXe, dans le
cadre des gabarits successifs de la réglementation
édilitaire, avant les rebondissements de l'architecture contemporaine, qui brise le cadre de la parcelle
et de l'ancienne échelle avant d'y revenir depuis
trente ans.

226-230, avenue du Maine, 14e :
un résumé de l'histoire de la ville.
Une maison basse de faubourg entre
un immeuble post-haussmannien,
daté de 1899, et un immeuble de
grande hauteur des années 1960.

De la maison bourgeoise à l'immeuble

Paris est une ville en expansion continue, avec des accélérations et des ralentissements. Longtemps la plus grande ville d'Europe, elle atteint sans doute 500 000 habitants vers 1650, puis se stabilise avant de connaître un nouveau développement à la fin du XVIIIᵉ siècle. Montesquieu en souligne l'étrangeté par les yeux de son Persan : "Une ville bâtie tout en l'air, qui a six ou sept maisons bâties les unes sur les autres."[1] La révolution industrielle conduit à une nouvelle expansion à partir de 1830, concrétisée par l'absorption des anciens villages suburbains dans le périmètre de la nouvelle enceinte de 1840. En 1914, Paris compte 2,9 millions d'habitants, sa plus grande population intra muros, avant de se contracter lentement avec la destruction des îlots insalubres aux densités très hautes et l'extension du secteur tertiaire.

Des maisons du Paris médiéval ne subsistent plus que des caves ou seulement la trame parcellaire. S'il demeure quelques maisons des XVᵉ et XVIᵉ siècles, souvent très altérées, les maisons bourgeoises de l'ancien Paris datent pour l'essentiel des XVIIᵉ et XVIIIᵉ siècles. Maisons étroites, tout en hauteur, elles sont bâties à l'initiative de marchands, d'officiers de l'administration royale, ou de couvents et de communautés soucieux de valoriser le pourtour de leur enclos.

Il n'y a pas de solution de continuité entre architecture vernaculaire et architecture savante. Le plus souvent ces maisons sont bâties par des entrepreneurs, maîtres maçons ou charpentiers, mais certains architectes publient des recueils de modèles : Pierre Le Muet en 1623, Gilles Tiercelet en 1728, Jean-François de Neufforge en 1757 ; d'autres donnent à l'occasion des dessins : Libéral Bruand et Daniel Gittard, François Blondel (dit à tort Jean-François) et Jacques V Gabriel, Jean-Louis Blève et Samson-Nicolas Lenoir, dit le Romain, etc.[2]

Ces maisons bourgeoises, qu'elles aient ou non une boutique en rez-de-chaussée, peuvent être occupées par une famille – parents, enfants mariés et parentèle – ou par plusieurs foyers, les étages autorisant locations et sous-locations. Intra-muros, elles coexistent avec le type, plus complexe, de l'hôtel particulier, qu'il reste entre cour et jardin ou se bâtisse sur la rue, parfois avec une typologie mixte (hôtel particulier au rez-de-chaussée et au bel étage, appartements à louer au-dessus). Extra-muros, la maison de faubourg, plus basse, est appelée à disparaître avec l'expansion de la ville.

Lorsque, dans la seconde moitié du XVIIIᵉ siècle, la typologie de la maison évolue pour offrir de vrais appartements superposés par étage, en copropriété ou en location, on parle de "maison à loyer", de "maison de rapport".

Le sens courant du mot "immeuble" est moderne : le *Dictionnaire de la langue française* de Littré (1872) l'ignore encore. Le mot ne commence à être employé comme substantif que vers 1846 pour désigner une nouvelle forme d'habitat, issue du croisement de l'hôtel particulier sur rue et de la maison bourgeoise. Grand bâtiment bâti entre deux murs mitoyens, dont la juxtaposition constitue la rue, l'immeuble parisien de quatre à six étages, sur rez-de-chaussée ouvrant ou non en boutique sur la rue, avec ou sans entresol, couronné de mansardes habitées, est l'une des pièces majeures du "nouveau Paris" de Napoléon III ; mais, plus largement, il domine presque sans partage le paysage urbain parisien de 1830 à 1960. La multiplication des anthologies et des recueils de modèles à partir de 1830 témoigne du recentrage des intérêts (Normand fils, *Paris moderne* 1837 ; Victor Calliat, *Parallèle*

-97, rue Saint-Antoine, 4ᵉ : renouvellement des façades sur une trame ◾cellaire stable. Au 93, la façade étroite d'un immeuble de style ⸱ectique, par H. Forgeot, 1865, qui a remplacé une maison à pignon vieux Paris, encadrée de deux maisons plus anciennes.

des maisons de Paris construites depuis 1830 jusqu'à nos jours, 1850 ; César Daly, *L'Architecture privée sous Napoléon III*, 1865 ; etc.).[3] Victor Hugo s'en désole : "La capitale ne s'accroît qu'en maisons, et quelles maisons ! Du train dont va Paris, il se renouvellera tous les cinquante ans. Aussi la signification historique de son architecture s'efface-t-elle tous les jours. Les monuments y deviennent de plus en plus rares et il semble qu'on les voie

s'engloutir peu à peu, noyés dans les maisons".[4] Le triomphe de l'immeuble de rapport n'entraîne pas tout de suite la disparition de l'hôtel particulier, mais celui-ci tend à se caler sur le type dominant, et ses fonctions distinctives se transfèrent sur la grande villa suburbaine ou la villa de villégiature.

Remis en cause dès les années 1920, l'immeuble n'est concurrencé qu'après 1958 par de nouvelles formes d'habitat – barres et tours –, et pour une vingtaine d'années seulement. Contesté dès 1925 par le polémique "plan Voisin" de Le Corbusier, qui aurait transformé Paris en une "ville radieuse", sans passé ni avenir, il ne cède la place que dans les années 1960 aux tours et aux barres, qui nient la rue, jusqu'à ce que l'échec social et formel du nouveau modèle de ville ne devienne patent et ne conduise, il y a une trentaine d'années, au retour en force de l'immeuble sur rue, immeuble postmoderne ou immeuble ancien réhabilité.

Des maisons de l'ancien Paris aux immeubles du Paris moderne, il y a continuité topographique, certains immeubles étant construits sur une parcelle plus ancienne, place pour place. Il y a aussi continuité typologique. "Admirons donc d'abord l'admirable docilité avec laquelle tant de gens s'accommodent d'être logés à la même enseigne, d'habiter d'identiques pièces blanches avec des fenêtres à petits carreaux et des portes idem, empilées les unes au-dessus des autres, salle à manger sur salle à manger, salon sur salon, chambre à coucher sur chambre à coucher, W-C sur W-C, ainsi de suite depuis le rez-de-chaussée jusqu'au sixième étage", écrit Gabriel Mourey en 1907 ; mais, si les maisons bourgeoises du vieux Paris constituent souvent un habitat vertical, elles présentent aussi des logements superposés, les différents étages étant loués ou sous-loués à différentes familles, économiquement autonomes.

1. Montesquieu, *Lettres persanes*, 1721. L'expression est empruntée à Henri Sauval, *Histoire et recherches de la ville de Paris*, Paris, 1724 (rédigé pour l'essentiel entre 1654 et 1665).
2. Voir pp. 71, 90, 100.
3. Voir Orientation bibliographique, p. 218.
4. Victor Hugo, *Notre-Dame de Paris*, 1831, livre III, 2, *Paris à vol d'oiseau*.

32, rue des Bergers, 15ᵉ, par Clément Feugueur, 1906 :
l'abstraction pittoresque de l'architecture.

Ce qui nous intéresse ici n'est pas l'immeuble comme organisme : des romans, du *Père Goriot* d'Honoré de Balzac à *La Vie mode d'emploi* de Georges Perec, et des études[5] en rendent compte. Nous ne traitons ici que des façades, un peu de ce qu'elles veulent bien exprimer de leur organisme interne (commerces en rez-de-chaussée, pièces de réception sur rue, ateliers ou pseudo-ateliers d'artistes, chambres de service ou appartements de luxe dans les combles), mais surtout de leur composition plastique (rythme des étages et des baies, saillies des balcons horizontaux et des bow-windows verticaux, moulures abstraites et ornements sculptés en haut ou bas relief) et de leur valeur chromatique (pierre jaune calcaire et plâtre blanc, brique et revêtement céramique coloré, béton, fer et verre), car notre sujet est le paysage de la rue, constitué de ces touches juxtaposées sur lesquelles se pose successivement le regard du promeneur, ou qui défilent plus rapidement devant les yeux de l'automobiliste comme autrefois devant ceux du voyageur de l'impériale.

Il existe aussi plusieurs genres d'immeuble, selon la qualité de la construction et la nature des appartements : immeubles de première, deuxième et troisième classes, HBM (habitation à bon marché), ILM (immeuble à loyer modéré), etc. ; selon la fonction des espaces intérieurs : immeubles de rapport loués par appartements ; hôtels-immeubles, où, au-dessus d'un hôtel particulier, s'élèvent des étages destinés à la location ; immeubles industriels, commerciaux, ou mixtes, où les locaux dévolus aux ateliers, au commerce ou aux bureaux sont couronnés par un, deux ou trois étages d'appartements.

Maisons bourgeoises anciennes, immeubles de rapport, intégrant ou non des ateliers d'artistes, habitations à loyer modéré et logements ouvriers, avec ou sans commerces en rez-de-chaussée, immeubles mixtes, commerciaux ou industriels, sont des organismes complexes que la façade exprime et masque à la fois.

Le discours muet des façades

La façade de l'immeuble parisien garde une forme assez constante sur la longue durée. De la maison bourgeoise ancienne à l'immeuble de rapport moderne, l'évolution est surtout sensible dans l'articulation distributive, dont nous ne traitons pas ici. En façade, la rupture se fait en largeur plus qu'en hauteur. L'articulation ternaire – rez-de-chaussée éventuellement entresolé, étages courants, étages de couronnement – perdure ; le gabarit évolue par paliers, sans rupture décisive – à l'exception d'une vingtaine d'années, de 1958 à 1978, qui font aujourd'hui presque figure de parenthèse.

La progressive prise de conscience du lien entre le traitement de chaque façade et la qualité du pay-

5. J. Lucan, *Eau et gaz à tous les étages, Paris, 100 ans de logement*, Picard, 1999 ; J. Fredet, *Les Maisons de Paris*, éd. de l'Encyclopédie des Nuisances, 2003.

sage urbain d'ensemble font du traitement de la façade un enjeu spécifique qui a occupé et occupe encore les architectes. Cet enjeu peut devenir un jeu pour le promeneur, pour le simple piéton qui ne peut manquer aussi de remarquer, plus ou moins consciemment, la variété de ces façades, qui tient aux strates successives de l'histoire, à la variété synchronique de leur qualité sociale comme à la diversité des expériences stylistiques.

L'architecture des maisons bourgeoises et des premiers immeubles du vieux Paris se situe au registre le plus bas de la gamme architecturale, ne pouvant jouer que sur quelques variables qui pourtant décident d'un style : rythme des travées, langage abstrait des moulures et des refends relevé de quelques rares ornements. Les modes architecturales ne touchent l'immeuble que discrètement : profil des consoles et des corniches, encadrement des baies, ferronnerie des balcons, mascarons et cartouches sur les vantaux des portails.

Après 1830, si le classicisme perdure, le romantisme autorise une variété stylistique plus ouverte

1, place Saint-Michel, 5ᵉ, par Gabriel Davioud, 1856. Architecture imposée (comme sur la place des Vosges), grand ordre de pilastres (comme sur la place des Victoires) et toit bombé (comme sur la rue de Rivoli).

– pittoresques motifs Renaissance et quelques touches d'exotisme –, variété qui vient doubler la gamme sociale qualitative. Sous le second Empire, l'immeuble devient une pièce essentielle de la monumentalisation du nouveau Paris : le large portefeuille de l'éclectisme et le souci déjà de définir le style du XIXᵉ siècle autorisent diverses expériences, même si l'éclectisme classique reste largement dominant.

La variété chromatique des nouvelles briques industrielles, l'introduction du fer puis du béton, les matériaux de revêtement modelables, céramique et grès flammé, l'assouplissement de la réglementation sur les saillies et le gabarit de hauteur en 1882 et 1902, font des années 1882-1914 l'époque de toutes les expériences : c'est la Belle Époque de l'immeuble parisien.

L'architecture de l'immeuble de rapport entre dans le cercle de la grande architecture. Le concours de façades, organisé initialement pour le traitement de la rue Réaumur en 1894-1896 puis étendu à tout Paris, témoigne d'une conscience nouvelle de la participation des immeubles à la beauté de Paris et d'un désir de variété et d'expérimentation. L'Art nouveau comme le Style international des années 1920 trouvent leur expression autant dans les immeubles que dans les hôtels et les villas de luxe, même si le doute peut s'insinuer : "Que pensons-nous de l'immeuble de rapport, peut-il donner un jour une grande œuvre et à quelles conditions, est-il au contraire voué à la laideur et la médiocrité ?", s'interroge Georges-Henri Pingusson dans un article de *l'Architecture d'aujourd'hui* en avril 1935.

Les trente glorieuses (1945-1974) laissent une trace plus ambiguë : tours et barres sont, tout compte fait, plus proches des casernes soviétiques que des gratte-ciel du rêve américain. Et ce n'est pas mai 1968 mais la crise de 1974 qui a favorisé, ces trente dernières années, la redécouverte de l'espace de la rue, de la mémoire du parcellaire et de la poésie de l'histoire.

3, rue La Boétie, à l'angle de la rue d'Astorg, 8e, par Gustave Vera, 1895 : une façade habillée comme un monument public, au débouché de deux rues sur la place Saint-Augustin.

L'éventration de l'ancien Paris sous Haussmann et Alphand avait cristallisé une première réaction nostalgique, qui trouva dans la Commission municipale du Vieux Paris un premier instrument de connaissance et de sauvegarde. Remis en cause par la seconde modernisation des trente glorieuses, l'immeuble du XIXe, devenu à son tour patrimonial, est maintenant au centre des délibérations de la commission. Avec le tournant du millénaire, celui du XXe est en passe de le devenir. En resituant ces maisons et ces immeubles dans la longue durée de l'habitat parisien, nous nous proposons d'esquisser l'histoire du principal personnage du paysage parisien.

Les maisons et immeubles parisiens ont fait plus rarement l'objet de recherches que les hôtels particuliers. Faire l'histoire de ce bâti plus ordinaire n'est pourtant pas impossible ; les outils documentaires existent : devis et marchés, conservés en grand nombre au Minutier central des notaires du Châtelet de Paris, parfois accompagnés de dessins, plans et élévations[1] ; expertises des greffiers des bâtiments, surtout pour le XVIIIe siècle ; feuilles de l'ancien cadastre, dit "cadastre napoléonien", levé entre 1810 et 1845 ; permis de construire déposés au service de la voirie à partir de 1882. Les anthologies de gravures ou de photos, qui se multiplient à partir de 1840 et restent nombreuses dans les années 1930, offrent une bonne sélection[2] de repères.

Mais, sans le détour par les archives ou les bibliothèques, il existe des indices visuels à la portée du piéton curieux : gabarit de l'immeuble, importance et nature des saillies, rapport des pleins et des vides, rythme des travées, forme des baies et style des ornements. Il existe aussi un raccourci pour le simple promeneur : les "chronogrammes", mot savant pour désigner les dates inscrites sur les façades, souvent accompagnées de signatures, qui se multiplient à partir de 1830. Les façades datées par ces inscriptions, aujourd'hui systématiquement relevées[3], constituent autant de solides repères chronologiques pour les autres. L'apprentissage visuel se fait ainsi insensiblement, comme on apprend sa langue maternelle.

La lecture chronologique peut cependant être brouillée de manière plus ou moins profonde par des altérations successives : réfection de la seule façade d'un immeuble plus ancien, crépi masquant la structure constructive, surélévations, percements

1. Voir A. Gady, Le Marais, Le Passage, 2004, pp. 32, 60, 82, 145, 206 ; id., La Montagne Sainte-Geneviève et le Quartier latin, Hoëbeke, 1998, pp. 74, 95, 257, 291 ; E. Lapierre (dir.), Identification d'une ville, Pavillon de l'Arsenal, 2002, pp. 20, 31-34.
2. Voir Orientation bibliographique, p. 219.
3. I. Parizet, "Inventaire des Immeubles parisiens datés et signés antérieurs à 1876", dans Cahiers de la Rotonde, n° 24, 2001.

de baies nouvelles ou abaissement des allèges pour installer un balcon de fer forgé, etc. Ceci vaut surtout pour les maisons et immeubles antérieurs à la Révolution. Quant aux immeubles du XIXᵉ siècle, leurs espaces intérieurs sont souvent altérés, quand ils ne sont pas éviscérés pour opérer une modernisation radicale ; mais les façades de pierre, dont l'appartenance patrimoniale à l'espace de la rue est de plus en plus reconnue, sont souvent préservées.

Notre époque, qui a balayé l'ornement de l'architecture, est encore un peu victime de l'idéologie du décor opposé à la structure. Nous vivons dans l'éphémère de la mode vestimentaire, mais nous ne savons pas toujours apprécier comme il convient le défilé des modes architecturales qui habillent nos rues et nos boulevards. Il est deux sortes de nu : le nu de l'immeuble simple et le nu de l'immeuble chic. Le nu peut être un ornement, même s'il est un anti-ornement. Inversement, le décor rococo ou Art nouveau n'est jamais pure forme ; il donne expression, sentiment et caractère à la structure qu'il habille.

Les pages qui suivent ne visent qu'à accompagner le promeneur dans sa lecture, depuis le regard, en grand angle, sur les fenêtres et les balcons filant derrière l'écran végétal des arbres des boulevards jusqu'au détail sur lequel il s'arrête : mascaron souriant, cariatide gironde ou bouquet de pivoines en aplat. Bref, donner à voir la façade de l'immeuble parisien, du mur plein, sculpté, habillé et orné, jusqu'à sa magique dématérialisation.

261, boulevard Raspail, 14ᵉ, Fondation Cartier, par Jean Nouvel, 1991-1994 : une façade transparente au fil du boulevard.

Chronogrammes et signatures

62, rue La Fayette, 9ᵉ : "ACHle TRIQUET ARCHITECTE 1864", signature en forme de cachet.

L'usage d'inscrire sur les édifices la date et le nom du commanditaire est fort ancien : les monuments égyptiens portent de tels cartouches dédicatoires. Certains architectes de l'Antiquité obtinrent le droit de faire porter aussi leur nom. Au Moyen Âge et à la Renaissance, ces inscriptions ne sont pas rares, sans pour autant devenir courantes.

Si des inscriptions dédicatoires marquent de nombreux monuments parisiens et si les initiales de quelques architectes figurent sur des maisons du XVIIIᵉ siècle parce qu'ils en sont propriétaires, les pre-

8, boulevard Poissonnière, 9ᵉ : "Bringol, 1830", la plus ancienne signature datée, repérée sur un immeuble des Grands Boulevards.

64, boulevard Saint-Germain, 5ᵉ : "L. Cernefson, Arch. 1868", signature cursive.

mières dates et les premières signatures d'architecte sur les immeubles qu'ils ont dessinés apparaissent à Paris en 1828, passage du Caire, et en 1830 boulevard Poissonnière. Elles restent peu nombreuses – moins de huit par an – jusqu'en 1859, avec deux pics, entre onze et seize pour les cinq années 1844-1845 et 1856-1858. Après 1860, on relève une trentaine de signatures par an, chiffre qui croit rapidement : 60 signatures en 1867, 97 en 1869, 129 en 1868, et encore 80 en 1870. Après une nette baisse liée au ralentissement de la construction, le mouvement reprend, et l'usage n'a pas cessé jusqu'à nos jours. Les architectes signent et datent leurs immeubles comme les peintres leurs tableaux, sans que ce soit une règle générale, signature à laquelle s'ajoutent parfois celles des entrepreneurs, des sculpteurs, voire des mosaïstes et céramistes.

36, rue Desaix, 15e, par Roger-Henri Expert pour l'agence Granet, 1913 : la tête sur la clé, au-dessus de l'entrée, aurait les traits de l'architecte, qui a dessiné l'immeuble pour l'agence d'André Granet, le gendre de Gustave Eiffel.

68, rue Condorcet, 9e, par et pour Viollet-le-Duc, 1862-1863 : le "grand duc", perché sur une colonnette sculptée sous le balcon, est un rébus qui désigne l'illustre occupant de l'immeuble et indique les fenêtres de son atelier.

100, boulevard Pereire, 17e, par Marcel Hennequet : "1925" en chiffres romains.

10, rue Tesson, 10e : signature par René Clozier, 1931-1932.

Ces inscriptions prennent des formes diverses : inscription en capitales, signature cursive, voire cachet, sur une table, sur un cartouche. Le plus souvent à droite de la porte d'entrée, à la hauteur de l'entresol ou du premier étage, l'inscription peut se trouver à des emplacements plus rares, comme sur l'arrondi de l'angle.

Accompagnant le plus souvent la signature, parfois seul, le chronogramme est le moyen le plus sûr de datation des immeubles du XIXe siècle. Ensuite, en se référant à ces exemples bien datés, il est possible de situer dans une fourchette chronologique, plus ou moins serrée, les édifices qui ne portent pas de date et qui ne sont pas autrement documentés.

Noms des rues et numéros

G ravés dans la pierre à certaines encoignures, à partir de 1729, les noms de rues
sont portées en 1835 sur des plaques de
lave émaillée. La numérotation des maisons mise en œuvre à partir de 1805 adopte aussi la
lave émaillée bleue sous la monarchie de Juillet, mais
le numéro peut aussi être gravé ou traité en relief.
Sa mise en place, au-dessus de la porte ou à côté, est
le prétexte à toutes sortes de variations sur le thème
du cartel, du cartouche et du cuir, quand le numéro
ne devient pas le centre de toute une composition.

93, rue Saint-Honoré,
1ᵉʳ, vers 1825.

3, rue de la Paix, 2ᵉ, par Paul Mesnard, architecte, Rouillère,
sculpteur, 1854 : une numérotation d'immeuble traitée comme
les armes du propriétaire d'un hôtel particulier.

132, rue de Courcelles, 17ᵉ, par Théo Petit, 1907 : numéro en mosaïque.

23, avenue de Messine, 8ᵉ, par Jules Lavirotte, 1907.

Rue Murillo, 8ᵉ : plaque émaillée sur une table de pierre moulurée.

82, rue Blanche, 9ᵉ : deux mains tiennent le numéro.

27, rue de La Rochefoucauld, 9ᵉ : un cartouche éclectique.

Syntaxe et vocabulaire de l'immeuble

"La différence des ornements sert à varier les façades, à distinguer les avant-corps d'avec les arrière-corps et à marquer par leurs divers attributs la destination de chaque bâtiment."
Jacques-François Blondel, *De la distribution des maisons de plaisance et de la décoration des édifices en général*, Paris, 1738.

"Nous montions sur l'impériale de Montrouge-Gare de l'Est. Nous feuilletions le boulevard comme un album", écrit Léon-Paul Fargue dans son *Piéton de Paris*[1]. Mais il ne regarde que les boutiques, les passants et les arbres ; il ne dit rien des immeubles. Dans *Espèces d'espaces*[2], Georges Perec veut aussi "essayer de décrire la rue : de quoi c'est fait, à quoi ça sert". On peut avec lui "s'efforcer de se représenter la prolifération invisible et souterraine des conduits […], ressusciter l'éocène : le calcaire à meulières, les marnes et les caillasses, le gypse, le calcaire lacustre de Saint-Ouen […], voir apparaître au croisement de la rue du Bac et du boulevard Saint-Germain, dépassant de cent mètres les toits des immeubles, King Kong ou la souris fortifiée de Tex Avery" ; on peut aussi, à hauteur de promeneur, aiguiser son regard et feuilleter le grand livre de l'architecture des rues et des boulevards parisiens. Pour interpréter cette symphonie de façades, il faut disposer de quelques clés de lecture. Au-delà de la relative uniformité du programme, de la maison bourgeoise à l'immeuble de rapport, et des matériaux, de la pierre au béton avec quelques touches de brique ou de céramique, les façades des immeubles parisiens offrent une triple variété : variété diachronique des styles architecturaux, variété synchronique qualitative – des maisons modestes et des HBM aux belles maisons bourgeoises et aux immeubles de grand luxe –, mais aussi variété synchronique des expériences de toute sorte, constructives et stylistiques, dans le "siècle d'or" de l'immeuble parisien, de 1802 à 1914, et, dans une moindre mesure, dans les vingt dernières années. La succession des modes architecturales s'affiche ordinairement au fil des rues, par juxtaposition franche d'immeubles d'époques différentes (souvent avec des retouches partielles, qui affectent les balcons ou la peau des maisons), parfois en hauteur, par superposition masquée (en profondeur) ou affirmée (en façade).

À cette logique historique s'ajoute une logique sociale qui détermine le caractère de l'immeuble, de la rue, du quartier : immeubles cossus ou bon marché, rues commerçantes ou résidentielles, quartiers bourgeois ou populaires.

Au croisement de cette double logique, chaque immeuble est singulier, même si se constituent des familles et des parentés, dont on peut exposer maintenant les principes, avant d'en présenter une série d'exemples typiques de chaque moment de cette histoire qui s'étend sur plus de six siècles.

L'histoire de l'immeuble parisien suit l'évolution des règlements urbains, des techniques constructives, des programmes de logement, des ordonnances et des motifs décoratifs. Elle est marquée cependant par des usages vernaculaires qui perdurent et se transforment au fil du temps :

• une trame urbaine et un gabarit de hauteur d'usage ou réglementé ;

• un habitat en hauteur, quatre à six étages, puis six à huit, qui conduit le plus souvent à une articulation ternaire : rez-de-chaussée (parfois entresolé) formant socle, deux, trois ou quatre étages courants, étage attique et étage(s) dans le comble formant couronnement ;

• un rythme de travées de fenêtres : souvent toutes identiques, parfois variées dans leur forme et leur encadrement pour hiérarchiser les étages ou pour privilégier le centre ou les côtés de la façade ;

• un traitement spécifique de l'angle : aigu ou arrondi, convexe ou concave, discret ou monumentalisé ;

• un répertoire de motifs : portails, baies et balcons, bow-windows et loggias, toitures et dômes ;

• une diversité de matériaux de construction ou de revêtements : monochromes ou polychromes ;

• une gamme d'ornements, du plus simple au plus riche, choisis selon la qualité des immeubles : moulures et consoles, mascarons et cariatides.

36-36 *bis*, avenue Marceau, 8e, par Triche-Guinot, 1881 : un immeuble brique et pierre post-haussmannien et sa surélévation contemporaine.

1. L.-P. Fargue, *D'après Paris*, 1932, dans *Le Piéton de Paris*, Gallimard, Paris, 1993.
2. G. Perec, *Espèces d'espaces*, Galilée, 1974.

Ordonnances

■ Trame urbaine, parcellaire et gabarit

L'ordonnance des façades des immeubles parisiens est déterminée par la structure de la propriété et par le parcellaire. Mais des règlements viennent limiter l'exercice de cette liberté dans l'intérêt public, pour la salubrité ou la beauté de la ville, en fixant un rapport entre la largeur de la rue et la hauteur autorisée des maisons et immeubles des deux rives, ou entre la surface occupée au sol, le retrait de la rue et la hauteur ou le volume bâtis autorisés.

26-28, boulevard de Strasbourg, 10ᵉ : au n° 26, immeuble en plâtre par Jacques Amoudru, 1854, selon l'ancien gabarit ; au n° 28, immeuble haussmannien en pierre, selon le nouveau gabarit du décret de 1857.

9-11-11 *bis*, avenue Victor-Hugo, 16ᵉ : au n° 9, immeuble selon le gabarit de 1857 ; au 11-11 *bis*, immeuble de 1901 avec bow-windows de pierre selon le gabarit de 1884, avant le décret de 1902 libérant les parties hautes (voir pp. 148-149).

Les voies anciennes commerçantes se distinguent très clairement, par leur trame parcellaire étroite (de 6 à 10 m), de la trame du Paris moderne (de 15 à 20 m), tandis que le Paris contemporain tranche en s'écartant du fil de la rue et en se dressant en cœur d'îlot, avant le retournement récent qui a réhabilité la rue et la façade sur rue.

Sous l'Ancien Régime existaient déjà des règlements soumettant à autorisation tout empiétement sur l'espace de la rue par un portail ou un balcon, et, sous Louis XV, un gabarit de hauteur est fixé. Ces contraintes réglementaires évoluent au cours des deux siècles suivants : l'histoire de l'immeuble parisien au XIXᵉ siècle peut se caler sur la chronologie des règlements successifs fixant gabarits de hauteur et saillies en fonction de la largeur de la rue, tandis qu'au XXᵉ la rupture d'échelle autorisée par les nouveaux systèmes constructifs conduisent à établir d'autres équilibres.

Pour des raisons évidentes, le pouvoir municipal s'est toujours soucié de fixer une hauteur maximum aux constructions. Cette hauteur va croissant avec l'élargissement progressif des rues, puis l'apparition des avenues et boulevards. Si un rapport est établi entre hauteur des constructions et largeur de la rue, la hauteur est définie d'abord par la corniche avant que la forme et le gabarit du toit, puis le coefficient d'occupation du sol de la parcelle, deviennent facteurs du calcul. La hauteur des immeubles croît progressivement au fil des règlements, mais le nombre d'étages évolue peu. Les maisons du vieux Paris ont souvent déjà quatre ou cinq, voire six ou sept étages (32, rue de l'Arbre-Sec, 1ᵉʳ ; 43, rue Saint-Merri, 4ᵉ), tandis que l'immeuble haussmannien a généralement cinq étages sur rez-de-chaussée, éventuellement entresolé, plus un étage de comble, mais parfois moins – quatre voire trois étages plus un étage de comble –, qu'il s'agisse d'un hôtel-immeuble ou qu'il se trouve dans un quartier périphérique, où l'on préfère bâtir moins haut.

Règlements et gabarits

Règlements royaux

• L'édit de 1607 réglemente l'alignement et les saillies, interdisant les plis ou coudes lors des reconstructions, ainsi que les surplombs.

• L'ordonnance du 18 août 1667 fixe la hauteur maximale des corniches parisiennes à 8 toises, soit 48 pieds (environ 16 m), et interdit les encorbellements. Il faut une autorisation spéciale pour bâtir un balcon.

• Les lettres patentes du 25 août 1784 établissent un rapport entre la largeur des rues et la hauteur des maisons : la hauteur des corniches est relevée à 54 pieds (17,55 m) pour les rues larges de 30 pieds (9,75 m), tandis que le comble peut avoir 10 pieds de haut pour les maisons en corps simple et 15 pour celles en corps double, règle simplifiée et assouplie lors de l'enregistrement de l'acte en 1785, le comble pouvant avoir en hauteur la moitié de la largeur de l'immeuble.

• Un règlement de 1823, comme l'arrêté préfectoral du 31 mars 1843, autorise la saillie d'un balcon de 0,80 m de large à 6 m du sol.

Règlements d'Haussmann

• Si une loi du 26 mars 1852 impose l'approbation des plans et élévations, la circulaire d'Haussmann aux voyers, du 21 septembre 1855, vise à imposer aux îlots des lignes de composition unitaire : "Jusqu'ici, l'administration de la voirie de Paris a laissé aux constructeurs de maisons la faculté de disposer à leur gré, dans la limite de la hauteur légale, les lignes des balcons, des corniches et des entablements. Il en est résulté un grave défaut d'harmonie entre les diverses constructions des mêmes groupes. La plupart des architectes privés, sans s'occuper en effet des lignes principales des maisons contiguës, ont sur beaucoup de points créé au droit des mitoyennetés des brisures, des décrochements de ces lignes magistrales, qui forment des effets des plus disgracieux et ne déprécient pas moins sous le point de vue du bon goût chaque maison que l'ensemble dont elle fait partie." Il recommande donc aux voyers d'imposer dans les contrats de vente des terrains qui appartiennent à la ville, comme en cas de reconstruction, une clause obligeant à donner aux maisons de chaque îlot ou aux immeubles mitoyens les mêmes lignes principales de façade, "de manière que les balcons continus, les corniches et les toits soient autant que possible sur les mêmes lignes."

• Le décret du 27 juillet 1857 précise les gabarits de hauteur autorisés : 11,70 m pour les voies de moins de 7,80 m de large ; 14,60 m pour les voies de 7,80 m à 9,74 m de large ; 15,55 m pour les voies de 9,75 m à 20 m de large ; 20 m pour les voies de 20 m et plus, à condition de ne pas dépasser cinq étages carrés (c'est-à-dire non mansardés) au-dessus du rez-de-chaussée.

Libération progressive des saillies et des gabarits

• Le décret du 22 juillet 1882 autorise une saillie de 0,50 m à 4 m du sol, et de 0,80 m à 5,75 m. En 1884, le gabarit des immeubles est relevé : 12 m pour les voies de moins de 7,80 m de large ; 15 m pour les voies de 7,80 à 9,74 m de large ; 18 m pour les voies de 9,75 à 20 m de large, et 20 m pour les voies de 20 m et plus.

• Le décret de 1902 autorise une plus grande hauteur si on recule de l'alignement de la rue, mais "pour prévenir l'envahissement sous prétexte de décoration, le nu à l'alignement devait toujours servir de fond à la décoration et occuper à chaque étage un dixième au moins de la surface de la façade de l'étage".

23, boulevard Delessert, à l'angle de la rue de l'Alboni, 16e, par L. Dauvergne, pour la Société immobilière du Trocadéro et de Passy, 1899 : bâti comme hôtel pour l'Exposition universelle de 1900 avant d'être converti en immeuble de rapport, cet ensemble a obtenu une dérogation à la réglementation des gabarits en raison de sa situation urbaine exceptionnelle.

■ Une ordonnance ternaire

Du XVIIe au XXe siècle, les immeubles parisiens présentent une ordonnance dominante ternaire : rez-de-chaussée/entresol, étages courants, étages de couronnement et de comble (voir p. 18).

Le rez-de-chaussée, parfois étoffé par un entresol ou un premier étage traité en entresol, se distingue des étages courants par ses ouvertures, mais souvent aussi par le traitement du mur. Les boutiques, quand elles sont présentes, sont d'abord installées dans des arcades ouvertes sur rue, puis vitrées. La devanture de bois vient coffrer ces arcades ou masquer l'éventration de la façade en rez-de-chaussée, réduite à des piliers de pierre ou des colonnes de

fonte. Le rez-de-chaussée, qui peut être pour ces raisons plus haut ou plus bas que les étages courants, est souvent surmonté d'un entresol, expression directe, trace ou métamorphose de l'usage de surmonter la boutique par le logement du boutiquier. Cet entresol peut être intégré à la baie de la boutique, quand celle-ci s'installe dans une arcade, ou surmonter les baies du rez-de-chaussée.

La singularité de ce premier registre est souvent accentuée par le traitement du mur : contraste entre ses matériaux et ceux des étages (pierre/pan de bois ; pierre/brique et pierre ; pierre/moellon enduit), parement du mur traité en bossage ou creusé de refends pour en souligner le caractère de socle, solide et sobre. Dans les immeubles contemporains, l'effet est souvent inversé : les étages ne sont plus portés par des murs, mais par des poteaux ou des pilotis, ce qui permet de vitrer complètement le rez-de-chaussée ou même de l'ouvrir totalement.

Les étages carrés, au nombre de deux à six, sont longtemps de hauteur décroissante du premier ou du second, le bel étage, au dernier, naturellement dévalorisé jusqu'à l'introduction de l'ascenseur (1895). À la fin du XVIIe siècle apparaît parfois un balcon courant devant plusieurs baies au premier étage et, à la fin du XVIIIe, un second balcon filant devant l'étage attique. La hauteur maximale est fixée à la corniche.

Au-dessus, on trouve la toiture, et dans les immeubles du XXe siècle, la terrasse. Qu'il soit droit ou brisé, le comble est toujours rendu habitable par des fenêtres ouvertes dans le toit. Le comble brisé n'offre aucune habitabilité supplémentaire par rapport au comble droit. À la façade sur jardin de l'hôtel Lambert (4e, vers 1640, par Louis Le Vau) apparaît une solution alternative, l'étage attique, un étage plus court couvert d'un toit en terrasson. Mais bientôt les deux formules se cumulent et au-dessus de l'étage attique on trouve un comble brisé habité.

104 et 106, rue Étienne-Marcel, 3e, par Louis Legrand, 1886 : les balcons continus soulignent l'ordonnance ternaire (rez-de-chaussée et premier étage traité en entresol, formant socle ; étages courants de taille décroissante ; cinquième étage et combles formant couronnement.)

9-15, rue aux Ours, 3ᵉ : quatre maisons du vieux Paris. Le n° 11 (vers 1730), large de trois travées, est encadré de deux maisons plus étroites, de deux travées (à gauche du début XVIIᵉ, à droite, vers 1650). À l'extrême droite, la façade du n° 9 ne présente qu'une travée.

■ Le rythme des travées

Les maisons les plus étroites du vieux Paris – et les immeubles qui sont simplement venus les remplacer sans modification du parcellaire primitif – ont une ou, plus souvent, deux travées sur rue. Les maisons du nouveau Paris ont le plus souvent cinq ou sept travées sur rue, dont se détachent assez souvent les trois travées centrales correspondant au salon ; mais toutes les longueurs et tous les groupements de baies existent.

À l'exception de quelques façades médiévales, maisons et immeubles observent la règle de la superposition des pleins sur les pleins et des vides sur les vides. Le rythme horizontal des vides (les baies) et des pleins (les trumeaux), alternant sur un même étage, est donc recoupé par le rythme vertical des travées de fenêtres superposées. Le rythme horizontal peut être plus ou moins rapide selon la largeur des trumeaux, et le rythme vertical plus ou moins affirmé selon la présence ou l'absence de moulures liant les fenêtres superposées et de décor sur le plein de travée. L'accent peut être mis sur les cordons, les corniches ou les balcons soulignant les étages, ou au contraire sur la scansion verticale des travées de fenêtres.

Les immeubles les plus simples se contentent de juxtaposer des travées identiques ; d'autres, surtout les maisons qui fonctionnent comme un petit hôtel sur rue, présentent un accent central : travée encadrée de refends esquissant un avant-corps, comme dans la grande architecture, jeu de balcons soulignant la ou les travées médianes, au-dessus du portail.

À partir de 1830 apparaît une composition qu'on pourrait appeler "façade à la vénitienne" : sur des immeubles de cinq ou sept travées, les trois travées médianes, qui correspondent au salon, ouvrent sur la rue par un triplet de baies rapprochées donnant sur un balcon, sur les trois principaux registres, à l'imitation des palais vénitiens, tandis que se détachent de chaque côté les baies plus simples des pièces latérales. Lorsque le triplet de baies est traité en arcades en plein cintre, le modèle vénitien est plus lisible, mais on trouve des formes dérivées : triplets de baies rectangulaires ou compositions réduites à deux baies. Les immeubles éclectiques multiplient les formules : on rencontre aussi bien des rythmes de

14, rue des Saussaies, 8ᵉ, par Alphonse Lejeune, 1846 : façade à la vénitienne avec trois baies serrées au centre et une fenêtre détachée de chaque côté.

15, rue Montorgueil, 1ᵉʳ, par Martin Goupy, 1729 : façade accentuée au centre avec une travée axiale plus ornée.

3-5, boulevard des Italiens, 2ᵉ, par Christian Devillers, 1994 : rythme abstrait des baies, quand l'architecte sait jouer sa partition silencieuse sur le boulevard.

simples travées verticales sérielles comme au temps d'Henri IV et de Louis XIII, des travées centrales accentuées comme au temps de Louis XIV et de Louis XV, des rythmes de baies alternés comme au temps de Charles Percier et Pierre Fontaine, et toujours des façades à la vénitienne.

Une rupture plus forte intervient dans les années 1880, lorsque les bow-windows autorisés deviennent le principal motif d'accentuation verticale et que la polychromie des revêtements industriels entre à son tour dans l'harmonie.

Dans les années 1920, le mouvement moderniste change encore la donne en utilisant de nouvelles formes de baie (fenêtres en bande, fenêtres angulaires, oculi), et surtout en composant sur l'équilibre asymétrique autant que sur la symétrie. En revenant à cette leçon moderniste, la dernière génération a redécouvert les mérites du rythme abstrait des baies et sait en jouer parfois avec une grande maîtrise.

■ Le traitement de l'angle

Issues des bossages d'angle florentins et romains, les chaînes sont longtemps le seul motif d'angle : chaîne harpée jusqu'au milieu du XVIIe siècle, puis chaîne de bossage formant pilastre. Le pan coupé pour dégager les encoignures apparaît au XVIIIe siècle, large de deux ou trois pieds. Il peut être plat, arrondi, parfois concave.

Lorsque la restructuration haussmannienne multiplie les voies diagonales et les angles aigus, le pan coupé s'élargit jusqu'à former une petite façade percée d'une (le cas le plus fréquent), de deux, ou même de trois travées de fenêtres. Le pan coupé assure une meilleure visibilité au croisement, mais donne aussi au carrefour un accent plastique qui scande les rues et ponctue le tissu urbain. Il constitue souvent le centre visuel de l'immeuble : porte-fenêtre et balcon au bel étage avec des accents décoratifs supplémentaires ; balcon avec petits retours et pilastres au premier étage ; deux balcons, aux premier et troisième étages ; balcons superposés sur les trois travées de l'angle, celle du pan coupé et les deux travées latérales.

S'il reste dominant, le pan coupé s'adoucit à la fin des années 1860 en s'arrondissant, à l'exemple des immeubles du boulevard des Capucines à l'angle de la place de l'Opéra (1858), comme le recommande la commission des Bâtiments civils : "Pour rendre plus agréable l'aspect de la place qui s'étend devant l'Opéra, il conviendrait d'arrondir par un décrochement les maisons formant de chaque côté de cette

52, rue Saint-André-des-Arts, à l'angle de la rue des Grands-Augustins, par François Debiais-Aubry, 1737, 6e : l'angle émoussé pour faciliter la circulation des carrosses dans un quartier ancien à voies étroites.

35, quai Voltaire, à l'angle de la rue du Bac, 6ᵉ, par Auguste Rolin et C. Lafforgue, 1882 : l'angle orné selon l'esthétique post-haussmannienne.

50, avenue de Saxe, à l'angle de la rue Pérignon, 7ᵉ, par G. Delattre, 1905 : le salon, installé dans l'angle pour jouir d'une "vue rayonnante".

place le coin du boulevard des Capucines et de faire ainsi disparaître les angles de la place ouvrant sur le boulevard." Le pan coupé arrondi s'affirme par un couronnement en dôme : adoptée par Henri Labrouste pour la Bibliothèque nationale, à l'angle de la rue des Petits-Champs (1867), la solution est bientôt reprise pour de simples immeubles de rapport et connaît de nouveaux rebondissements après 1920.

1, rue du Pont-aux-Choux, à l'angle du boulevard Beaumarchais, 3ᵉ, par Robert-Eustache Devillers pour J.-C. Martin, 1775 : façade ondulée qui épouse la demi-lune du débouché de la rue sur le boulevard.

16, rue des Orteaux, à l'angle de l'impasse des Orteaux, 20ᵉ, par Didier Maufras, 1985 : un trait d'humour urbain, l'angle traité comme une faille.

106, rue du Château-des-Rentiers, à l'angle de la rue de Domrémy, 13ᵉ, par Architecture Studio, pour la RIVP, 1987 : l'immeuble traité comme un sémaphore, pour orienter le citadin.

Cet angle arrondi, qui offre des vues rayonnantes, est parfois occupé par le salon et traité en bow-window : "Au motif d'angle accusant sur plan ovale les grands salons à trois fenêtres à chaque étage, l'architecte a réservé presque tous les profits qu'il devait savoir tirer des élasticités réglementaires en matière de saillie sur la voie publique, le vrai, l'utile et l'agréable bow-window, c'est-à-dire l'avant-corps à vue rayonnante", observe un contemporain à propos de l'immeuble bâti par G. Delattre, 50, avenue de Saxe en 1905.

Dans l'architecture contemporaine, marquée par la lecture de l'ouvrage de Kevin Lynch sur l'image de la ville [1], certains traitent les immeubles d'angle comme des signaux forts, capables d'orienter, tandis que d'autres, séduits par l'Institut du Monde arabe dessiné par Jean Nouvel en 1981, reprennent sa formule de "l'angle fendu" pour de simples immeubles. **VOIR AUSSI** *2, rue d'Écosse, à l'angle de la rue de Lanneau, 5ᵉ, 1766 : pan coupé plat • 1, rue Royer-Collard, à l'angle de la rue Saint-Jacques, 5ᵉ, vers 1750 : pan coupé arrondi • 69, rue d'Hauteville, à l'angle de la rue des Messageries, 10ᵉ : pan coupé concave.*

1. Kevin Lynch, *L'Image de la cité*, Dunod, 1998 (1ʳᵉ éd. amér., 1958).

Motifs

■ Portes et portails

Maisons bourgeoises et immeubles de rapport s'ouvrent sur la rue, selon les cas, par une porte piétonne ou une porte cochère dont l'un des vantaux comporte un battant pour les piétons. Si la porte est d'origine, son dessin est un bon critère de datation ; mais les portes, comme les balcons, se renouvellent encore plus facilement que l'ensemble de la façade, qu'on peut refaire elle aussi sans rebâtir toute la maison.

De la porte cloutée à la porte à panneaux

Les portes de menuiserie dominent jusque dans les années 1830, mais le type d'assemblage, la mouluration et les ornements des vantaux permettent de distinguer cinq ou six styles successifs : porte à panneaux cloutés, porte à grands panneaux et décor classique, mouluration chantournée et décor rocaille, retour à l'ornement classique et style à la grecque.

Jusque vers 1650-60, qu'elles soient piétonne à un battant ou cochère et partagée par une armature en croix en deux vantaux, les portes de menuiserie sont ornées de petites plaques de bois fixées par de gros clous à tête ronde. Ces plaques cloutées sont disposées selon des dessins variés : en quadrillage orthogonal, diagonal ou mixte, le changement d'orientation des planchettes soulignant la traverse sous laquelle s'ouvre la porte piétonne.

À partir de 1630 apparaît un dessin plus savant : comme les lambris, le vantail rectangulaire s'organise autour d'un grand panneau – en deux ou trois zones pour les portes piétonnes, en trois ou quatre registres pour les portes cochères. Ce panneau peut être seulement mouluré ou orné de quelques motifs, de guirlandes ou de cartouches.

Le décor de la porte de menuiserie change au début du XVIIIe siècle en se chargeant de motifs rocaille selon une évolution parallèle à celle des lambris intérieurs. La forme de la porte évolue aussi : à la porte rectangulaire ou en plein cintre on préfère la forme intermédiaire, plus souple, à linteau cintré.

17, rue Champollion, 5ᵉ, 1667 : porte cochère à panneaux unifiés.

6, rue d'Écosse, 5ᵉ : porte piétonne à panneaux cloutés.

29, rue de la Ferronnerie, 1ᵉʳ : porte piétonne Louis XV
avec médaillon de fer forgé.

Dans les années 1760-1770, l'infléchissement du
goût décoratif se manifeste naturellement dans le
traitement des portails comme dans le traitement
des lambris intérieurs et des meubles. Avec des
variantes, ce goût néoclassique domine jusqu'à ce
que, vers 1830, l'introduction de la grille en fonte
moulée dans le corps du portail marque une rupture
plus décisive.
Remonter la rue Quincampoix permet de voir trois
styles : une porte cloutée Louis XIII au n° 12, une
porte rocaille au n° 14, une porte Louis XIV au n° 36.

De la porte à panneau de fonte à la porte éclectique

Au XVIIIᵉ siècle, le vantail de bois était parfois percé
d'un jour fermé d'une grille de fer forgé ; au XIXᵉ,
ce jour tend à s'agrandir pour aérer l'entrée. Dans
la formule la plus courante, le panneau de bois
des vantaux est remplacé par une grille de fonte à
décor abstrait ou figuré qui, dans les années 1830-
1850, cherche son motif dans le répertoire décoratif de la première Renaissance et de l'école de
Fontainebleau. À partir des années 1850 et jusque
dans les années 1890, la porte à panneau de fonte
est concurrencée par un retour à des vantaux de
bois dont le dessin décline les différents styles,
Henri IV ou Louis XIII, plus souvent Louis XIV ou
Louis XV, parfois Louis XVI.

17, rue de Châteaudun, 9ᵉ, par H. M. Lauraney, 1865 :
porte cochère de menuiserie éclectique.

Portes en verre et fer forgé

Vers 1900 apparaît un nouveau type de porte à grand panneau vitré doublant une grille de fer forgé. Dans les années 1920, seul le dessin de la grille change, tandis qu'après 1950 triomphe la porte entièrement vitrée, autour de laquelle Jacques Tati construit un long gag dans son film *Playtime*.

33, rue du Champ-de-Mars, 7ᵉ, par Octave Raquin, 1910 : porte Art nouveau.

12, avenue de Lowendal, 7ᵉ, par Georges Postel-Vinay, 1905.

39, rue Gros, 16ᵉ, par Alfred Guilbert, 1927 : porte modern style en mosaïque se détachant sur un fond de granito.

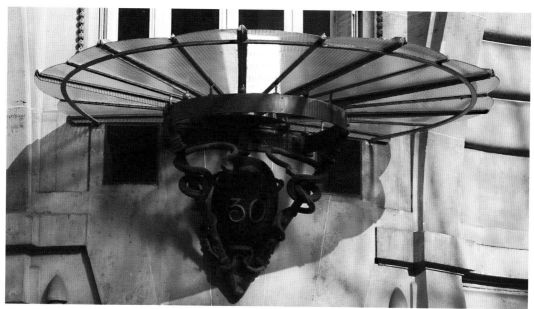

30, avenue Marceau, 8ᵉ, par André Granet, 1914.

Marquises

La marquise, auvent vitré au-dessus d'une porte, permet de descendre de voiture à couvert. Elle prend généralement la forme d'un éventail de ferronnerie vitré. Commune aux hôtels particuliers et aux villas comme aux gares et aux hôtels de voyageurs, elle reste assez rare sur les immeubles de rapport. Comme les bow-windows, elle est l'une des manifestations du goût du XIXᵉ siècle pour les espaces vitrés (galeries, serres, passages, halls de gares, etc.).

VOIR AUSSI *95, rue de Vaugirard, 6ᵉ, par Ferdinand Glaize, 1891 • 20-24, rue Pierre-et-Marie-Curie, 5ᵉ, vers 1905 • 6, place du Général-Catroux, 17ᵉ, par Georges Hennequin, 1907 • 91, avenue Henri-Martin, 16ᵉ, par Gustave Umbdenstock et Ernest Picard, 1911.*

16, rue de Sèvres, 7ᵉ, par Pierre Girardot, 1908.

62, rue René-Boulanger, 10ᵉ, par Nicolas-Claude Girardin, 1778-1782 : chambranle mouluré couronné d'un fronton porté par deux consoles.

23, rue Danielle-Casanova, 1ᵉʳ, entre 1701 et 1711 :
les fenêtres se découpent net dans le mur sans chambranle.
Légère moulluration dans l'embrasure.

■ Baies et balcons

Croisées et fenêtres

À Paris, jusqu'au milieu du XVIIᵉ siècle, les baies sont des croisées à meneau et traverse, ou des demi-croisées à traverse simple. Les meneaux sont détruits à partir du dernier tiers du XVIIᵉ, lorsque la fenêtre à châssis de bois et petits carreaux vient remplacer les panneaux de verre à plomb ; ceux que l'on voit sont des restitutions, comme le plus souvent les châssis primitifs eux-mêmes (voir cependant ceux des maisons 7 et 13, rue Champollion, 5ᵉ, 1667).

Le bas de l'embrasure est fermé par une allège plus mince qui reçoit souvent en façade un décor. À la fin du XVIIᵉ, on prend l'habitude de remplacer la fenêtre à allège et appui haut par une fenêtre à banquette surmontée d'un appui de fenêtre de fer forgé, ou par une porte-fenêtre ouvrant sur un balcon : "Outre que les appartements en sont mieux éclairés, écrit Charles Augustin d'Aviler dans son *Cours d'archi-tecture* (1691), l'on a aussi plus de commodité pour regarder en dehors, soit qu'on soit assis sur celles à banquettes, soit qu'on se promène sur celles à balcons." Ce nouvel usage s'impose très vite au tournant du siècle, et nombreuses sont les façades plus anciennes qui sont retouchées à l'occasion d'un ravalement. Le changement de goût est très lisible sur les façades, où les allèges en saillie sont coupées et abaissées pour introduire un appui de fer forgé. Les fenêtres peuvent recevoir un encadrement, un chambranle plat, en bandeau ou mouluré, plus ou moins orné, qui peut en outre être couronné d'une corniche, avec ou sans consoles, ou d'un fronton, le plus souvent triangulaire ou cintré. Ce décor de la baie est souvent l'un des meilleurs critères de datation interne.

Vers 1830-1840, on voit se généraliser l'usage des persiennes, moins coûteuses que les volets brisés qui se replient dans l'embrasure intérieure. Ces persiennes de bois, qui donnent aux immeubles les plus simples leur caractère pittoresque, masquent, lorsqu'elles sont ouvertes, les chambranles des fenêtres et viennent brouiller le rythme des baies et des trumeaux lorsque certaines sont fermées et d'autres ouvertes. Aussi, pour les immeubles de qualité, maintient-on les volets brisés dans l'embrasure avant que ne se généralise la forme moderne du volet brisé métallique qui se replie dans l'embrasure extérieure.

7, rue Payenne, 3ᵉ, 1842 : fenêtres cintrées à persiennes.

Balcons

Liés à une fenêtre ou courant devant plusieurs fenêtres, voire sur toute la largeur de l'immeuble, les balcons et les simples garde-corps sont l'un des principaux ornements des façades à partir des années 1660 et jusqu'à nos jours. Parfois de pierre, le plus souvent de fer, fer forgé puis fonte moulée, les garde-corps jouent par contraste avec la façade de pierre. Leur dessin, donné par un maître serrurier ou l'architecte, relève de l'histoire des styles, même si les motifs les plus simples perdurent. S'ils n'ont pas été ajoutés après coup, ou modifiés, ils sont souvent une bonne clé de datation.

Avec l'apparition des balcons de fonte sous Charles X, le répertoire est à la fois stylistiquement plus varié, puisque les catalogues déclinent toute la gamme

3, rue Laffitte, 9ᵉ, par Victor Lemaire, 1839 : balcon en fonte style Louis-Philippe.

7, rond-point du Pont-Mirabeau, 15ᵉ, par Joseph Bassompierre, Paul de Rutté et Paul Sirvin, 1930-32 : balcon et garde-corps en fer forgé, par Raymond Subes.

du répertoire éclectique, et plus répétitif puisqu'il s'agit de motifs moulés, reproductibles. Viollet-le-Duc déplora "l'emploi presque exclusif de la fonte de fer pour les grilles, balcons, rampes d'escalier entre 1825 et 1845". L'Art nouveau et l'Art déco reviennent au fer forgé et à l'invention de motifs inédits. Le balcon ne disparaît pas avec le tournant de l'architecture contemporaine, mais, moulé en béton, il devient plus sculptural ; traité en Altuglas fumé, en aluminium brossé ou tressé, en verre Sécurit ou en verre gravé, il devient transparent, translucide, coloré ou imprimé (7, rue Émile-Durkheim, 13ᵉ, par Francis Soler, 1997).

9, rue de Châteaudun, 9ᵉ : balcon en fonte style éclectique.

24, rue Saint-Augustin, 2ᵉ, par Jean-Jules Despras, 1905 : ferronnerie éclectique, entre rocaille et Art nouveau, avec un éventail de lignes "en coup de fouet".

67, rue Saint-Jacques, 5ᵉ, pour Jean Mariette, 1734-35 : balcon rocaille en fer forgé.

■ Saillies et couronnements

Les saillies sur la rue ont toujours fait l'objet de contrôle. L'édit de 1607, précisé en 1667, rend obligatoire une autorisation préalable pour construire un balcon sur la rue. Les règlements de 1823 et 1843 autorisent la saillie simple d'un balcon à une certaine hauteur. En 1882 et 1884, pour ménager plus de variété sur la rue, des saillies plus importantes sont autorisées : saillie horizontale plus large des balcons, saillie verticale inédite des oriels ou bow-windows que l'on peut installer en matériaux légers et démontables – bois ou fer -, le plus souvent entre les deux lignes de balcon du deuxième et du cinquième étage. Pour donner plus de pittoresque aux rues, le règlement de 1902 autorise des bow-windows saillant de 1,20 m sur les voies les plus larges, et les loggias dans les parties hautes. Ce nouveau règlement modifie complètement la surface des façades en permettant des ondulations, tandis que la libération des parties hautes change la silhouette. Le recueil de Théodore Lambert, *Nouvelles constructions avec bow-windows, loggias, tourelles, avant-corps*, (Paris, s. d.) témoigne de cette ouverture à l'invention.

Bow-windows

Fenêtre en saillie qui forme comme un balcon vitré sur un ou plusieurs étages, le bow-window offre dans un appartement un peu l'équivalent du jardin d'hiver de l'hôtel particulier. Introduit dans l'architecture de l'immeuble parisien à la faveur de l'éclectisme, il a en effet l'avantage d'être au confluent de tous les courants : romantisme pittoresque, car il rappelle les oriels médiévaux ; modernité, avec son ossature, souvent métallique, qui conduit à l'emploi de nouveaux revêtements de la céramique industrielle ; éclectisme international, car il retient de l'architecture anglaise la beauté de ses bow-windows.
Le bow-window de bois et de fer, démontable, est autorisé par le décret du 22 juillet 1882 "sur les saillies permises dans la ville de Paris", et les premiers

exemples arrivent très vite (voir p. 134). En 1893, un décret autorise le bow-window en pierre d'une saille inférieure à 0,40 m, entre le deuxième et le cinquième étage, ce qui donne un *terminus post quem* très commode.

En 1902, un nouveau règlement, plus souple, autorise sa construction en pierre, la façade prenant alors une forme ondulée. Il permet en outre la continuation du ressaut du bow-window au-delà de la corniche terminale, si bien qu'il peut se prolonger au cinquième voire au sixième étage, ou être couronné par un bow-window métallique, une petite loggia ou un atelier d'artiste.

Le bow-window offre en façade un motif vertical. Isolé, il forme le motif central, remplaçant les avant-corps classiques ; redoublé, il vient encadrer les travées médianes, reliées éventuellement par un ou plusieurs balcons. Lorsque la rue est étroite, il peut partir du troisième étage, plutôt que du deuxième, pour ne pas assombrir les étages les plus bas.

50, avenue de Ségur, 15ᵉ, par Gabriel Ruprich-Robert, 1899-1900 : oriel en grès d'Alexandre Bigot, traité comme un cabinet de jardin en bambou et feuillages.

129, rue du Château, 14ᵉ, par Paul Delaruemenil, 1904 :
bow-window économique et pittoresque en bois et brique.

VOIR AUSSI *16, rue Boissy-d'Anglas, 8ᵉ, par Jules Den-fer et Paul Friesé, 1884 • 13-21, rue Ernest-Renan, 15ᵉ, par H. Ragache, 1894 : série de bow-windows dans un lotissement • 29, boulevard Flandrin, 16ᵉ, par M. Ad. Yvon, 1898 : bow-window métallique sur une façade de brique • 22, rue Galvani, 17ᵉ, par Brière, 1900 : bow-window métallique sur deux travées • 27, rue Rousselet, 7ᵉ : bow-window de bois à remplissage de brique émaillée • 11, rue Gustave-Zédé, 16ᵉ, par P. Jolivard, 1902 • 3, rue Joseph-Dijon, 18ᵉ, par Pierre-Antoine Bled, 1903 • 62, rue des Vignes, 16ᵉ, par Charles Blanche, 1908 • 8, rue Castagnary, 15ᵉ, par Marcel Morizé, 1913 : oriel intégré à la façade • 3, avenue Boudon, 16ᵉ, par Bernard Reichen pour Cogedim, 1981 : retour au bow-window haussmannien.*

100, boulevard Pereire, 17ᵉ, par Marcel Hennequet, 1925 : bow-window à trois pans géométriques, typique des années 1920-1930.

7, rue Le Tasse, 16ᵉ, par Louis Sorel, 1907 :
loggia en couronnement.

Loggias

Inventé par Otis (1853) et perfectionné part Eydoux
(1867), l'ascenseur ne s'introduit dans les immeubles
parisiens que dans la dernière décennie du XIXᵉ siècle.
Le dernier étage, qui s'éloigne du bruit de la rue et
trouve le soleil au-dessus des arbres ou des toits,
prend du même coup une valeur positive. Formel-
lement, sa nouvelle fonction est soulignée par un
nouveau motif, la loggia, c'est-à-dire un balcon couvert ouvrant sur l'extérieur par des colonnes ou des
piliers. Le motif peut venir relier les bow-windows,
cas le plus fréquent, ou, plus rarement, les couronner individuellement. Ces loggias peuvent être mises
en valeur par leur revêtement de céramique polychrome ou leurs matériaux : fer ou bois.
VOIR AUSSI *41, rue de Lille, 7ᵉ, maison des Dames des
Postes et Télégraphes, par Eugène Bliault, 1907 • 172,
avenue du Maine, 14ᵉ, par Raoul et D. Brandon, 1913
• 199-201, rue de Charenton, 12ᵉ, par Raoul Brandon,
primé en 1911 • 2-4, avenue René-Coty, 14ᵉ, par Louis
Masson, 1911-1920 : loggia pittoresque d'HBM.*

Toits et dômes

Longtemps les règlements urbains n'ont pris
en compte que la hauteur du bâtiment à la corniche, même si les lucarnes et le toit font partie
de la composition. Pour le toit, on peut opposer
deux périodes : celle du comble droit jusque vers
1640-1660, celle du comble brisé ensuite. Quant
au comble bombé, il s'impose dans le paysage de
Paris rue de Rivoli. Mais les principaux problèmes
sont, d'une part, l'intégration des parties hautes
dans le gabarit général de l'immeuble, d'autre part
le traitement des couronnements les plus visibles,
ceux des immeubles d'angle.

40 *bis*, rue Violet, 15ᵉ, par A. Delacour, 1928 : la libération
des parties hautes autorisée par le décret de 1902, permet
le développement de toitures pittoresques.

32, avenue Georges-Mandel, 16ᵉ, par Henri-Paul Nénot, 1898.

Le couronnement logique du pan coupé arrondi est un dôme, qui monumentalise l'angle dans les vues lointaines. Apparu sur les immeubles de la place de l'Opéra ordonnancés par l'architecte Rohault de Fleury en écho aux dômes, grands et petits, de l'Opéra de Garnier, repris pour des immeubles spécifiques (Cercle de la Librairie, 117, boulevard Saint-Germain, 6ᵉ, par Charles Garnier, 1877 ; Grands magasins du Printemps et Galeries Lafayette), le motif se généralise dans les années 1880-90 pour les immeubles d'angle et se multiplie autour de 1900 pour les immeubles de qualité, car il offre un espace intérieur spectaculaire aux beaux appartements que l'ascenseur permet d'aménager en hauteur pour chercher les vues rayonnantes.

La chair de la ville

Pour peindre un nu, certains artistes étudient les os sous-jacents ; pour d'autres, la ligne du corps et la couleur de la chair suffisent. Le piéton de Paris peut se contenter de regarder le parement du mur – la peau de l'architecture – mais il n'est pas inutile parfois d'en connaître la structure constructive – l'ossature – qu'elle soit accusée ou masquée, pour comprendre ce qui se joue en façade. Jusqu'au XXᵉ siècle, Paris est pour l'essentiel une ville de pierre et de plâtre, les matériaux de son sous-sol : calcaire lutécien et plâtre de Montmartre. Dans le vieux Paris, le pan de bois n'existe qu'à l'état de trace d'une époque révolue, et la brique ne connaît qu'une brève mode, plus aristocratique que bourgeoise, d'Henri III à Louis XIII. Cependant, au XIXᵉ siècle, à côté de la pierre toujours dominante, un regain de l'architecture brique et pierre dans les immeubles de rapport est favorisé par l'éclectisme. Mais il existe aussi un usage moderne de la brique apportant des réponses économique et esthétique aux programmes de l'habitat populaire et des solutions techniques et formelles aux nouveaux systèmes d'ossature de fer et de béton, qui conduisent par ailleurs à de spectaculaires recherches sur les matériaux de revêtement, alternatives aux traditionnels enduits de plâtre. Enfin, sur le parement de pierre, de plâtre ou de brique, se détache souvent, en contrepoint, un décor ponctuel de stuc moulé, de céramique ou de brique vernissée, et surtout de ferronnerie, parfois de charpenterie pittoresque.

27-33, avenue Georges-Mandel, 16ᵉ, par Émile Vaudremer, 1898 : un exceptionnel immeuble de rapport en pan de bois, choix favorisé sans doute par le caractère de campagne cossue de l'avenue, bordée de jardins.

■ Les matériaux traditionnels

Le bois

Les maisons à colombages étaient sans doute aussi nombreuses au XVIᵉ siècle à Paris qu'elles le sont aujourd'hui à Troyes ou à Dinan. Tableaux et gravures montrent, au XVIIᵉ siècle encore, nombre de maisons à pan de bois apparent sur un rez-de-chaussée de pierre ; des édits régulièrement réitérés (1560, 1607, 1667) ordonnent de les plâtrer pour limiter les risques d'incendie. Il est donc difficile de deviner si l'enduit de plâtre cache un mur de moellon ou de charpenterie. Dans le secteur sauvegardé du Marais, les pans de bois de deux maisons anciennes

Page de gauche : 16-18, rue du Cambodge, 20ᵉ, par Paul Saignes, 1905-1906 : la surface polychrome des matériaux comme ornement.

rue François-Miron ont été dégagés, très largement restaurés et pour partie réinventés. D'autres pans de bois mis au jour lors de ravalements sont à nouveau enduits.

Le pan de bois, qui réapparaît au XIXᵉ siècle dans les hôtels particuliers pour le traitement des communs, reste exceptionnel dans les immeubles de rapport, mais l'esthétique pittoresque favorise les jeux d'auvents et de débords de toit, surtout dans les immeubles populaires en brique.

Moellon et pierre de taille

La pierre parisienne, tirée du sol même de la ville, de ses faubourgs ou de la vallée de l'Oise, est une pierre calcaire dont les couches, dures ou tendres, répondent à tous les besoins : pierre dure pour les soubassements, pierre tendre pour les ornements, plâtre pour les enduits.

29, boulevard de Courcelles, 17ᵉ, par Xavier Schœllkopf, 1902 : la pierre de taille parisienne, un calcaire propre à la sculpture.

3, rue La Boétie, à l'angle de la rue d'Astorg, 8ᵉ, par Gustave Vera, 1895 : au débouché sur la place Saint-Augustin, l'angle de l'immeuble a été particulièrement soigné, avec de grands pilastres et des incrustations de marbres de couleur.

2 , rue des Écoles, 5ᵉ, par Maque, 1895 : pierre meulière pittoresque utilisée couramment dans les villas de banlieue et ici de manière plus exceptionnelle dans un immeuble parisien.

Le moellon, pierre sommairement taillée, est longtemps le principal matériau des maisons de Paris. Utilisé pour les gros murs, sur les façades arrière, les murs mitoyens et les murs de refend, il est aussi présent en façade, enduit de plâtre, dans les maisons modestes jusque dans les années 1920. L'usage de la pierre de taille, réservée jusque-là aux bâtiments d'importance, se répand au cours du XVIIIᵉ siècle dans la construction des façades des maisons bourgeoises. À partir du milieu du XIXᵉ siècle, le changement de technique d'extraction – le sciage mécanique remplace l'extraction manuelle – et la réduction de l'épaisseur des joints, avec l'emploi de chaux artificielle, ont sensiblement modifié la texture de la pierre parisienne.

On voit aussi, au cours du même siècle, apparaître d'autres pierres, plus nobles, comme le marbre, ou plus pittoresques, comme la pierre meulière. Réservés, à l'époque classique, aux monuments, aux églises et aux palais, les marbres français ou italiens commencent à la fin du XIXᵉ à être employés sous forme de tables et d'incrustations sur les façades d'immeubles, surtout lorsqu'il s'agit d'hôtels-immeubles, ou d'immeubles d'angle, bien en vue.

Largement utilisée dans les villas suburbaines aux XIXe et XXe siècles pour la valeur pittoresque de sa texture, la pierre meulière est employée pour les soubassements ou les murs mitoyens, mais aussi parfois en façade pour les logements populaires et quelques immeubles qui cherchent une originalité un peu "fauve", dans les années 1890-1910. Le Corbusier l'emploie aussi pour sa texture, en contrepoint au béton lisse et blanc, au revers du pavillon suisse à la Cité internationale universitaire de Paris. Concurrencée par les matériaux modernes – la brique industrielle, à partir de la seconde moitié du XIXe siècle, et le béton, la "pierre artificielle", à partir du début du XXe –, la pierre de taille résiste dans les immeubles de qualité et connaît même un regain avec l'usage de la pierre agrafée sur une ossature de béton.

VOIR AUSSI *24, rue Pasquier, 8e : hôtel-immeuble avec incrustations de marbre • 5, rue des Lyonnais, 5e, par A. Cluseau, 1905 : pierre meulière.*

■ Les matériaux de l'industrie
Du fer à la fonte, de l'acier à l'aluminium

Outre ses usages constructifs, le fer est utilisé sur les façades des maisons et des immeubles sous forme de fer forgé pour les balcons (à partir de 1620-40 dans les châteaux, les palais et les hôtels, à la fin du siècle dans les maisons bourgeoises), puis sous forme de fer fondu – la fonte – pour les balcons et les grilles de portail à partir des années 1820. S'il existe quelques expériences de pan de fer dans les immeubles de rapport (voir p. 129), le fer n'est guère utilisé en façade que de façon ponctuelle, en linteau de baie (voir p. 147), ou pour des motifs spécifiques, les bow-windows (voir p. 139) et les marquises, qui sont à la mode à la Belle Époque pour les immeubles élégants (voir p. 35). En 1913, pour un groupe d'immeubles de la rue des Italiens, Édouard Arnaud avoue n'avoir pu se "décider à être le premier à édifier en plein boulevard une charpente métallique apparente", et il la couvre de la façade de pierre habituelle.

En revanche, le fer est employé assez largement dans les immeubles industriels et commerciaux, ou la partie commerciale d'immeubles mixtes (voir pp. 163 et 168). Dans l'architecture internationale des années 1920, l'ossature métallique est utilisée en concurrence ou conjointement avec l'ossature en béton, mais le fer ne s'impose dans la construction des immeubles parisiens qu'après 1945, sans jamais cependant être dominant. On l'emploie pour la structure, mais surtout pour les panneaux des murs-rideaux.

Au début des années 1950, l'aluminium entre dans la construction des immeubles – panneaux de mur-rideau, volets coulissants ou menuiserie. L'architecture postmoderniste des deux dernières décennies redécouvre les vertus d'autres métaux, comme le zinc ou la tôle brossée.

12, rue Gaillon, 2e, par Jacques Hermant, 1913 : sur un soubassement traditionnel de pierre, une façade métallique pour un immeuble de bureaux.

1, rue Danton, 6ᵉ, par François Hennebique pour lui-même sur les plans de l'architecte Édouard Arnaud, 1898 : le premier immeuble de Paris en béton, selon le "système Hennebique ", comme le proclament les plaques de carreaux émaillés apposées sur tous les trumeaux du premier étage.

Le béton

Après l'invention par Louis-Joseph Vicat de la chaux artificielle, deux fois moins chère que la chaux traditionnelle, et du ciment portland (1824), François Coigniet tente de mettre au point "une pierre artificielle" (92, rue de Miromesnil, 8ᵉ, 1867 : immeuble en béton aggloméré). Breveté par François Hennebique en 1892, le "béton armé" est d'abord employé pour la construction de planchers avant de devenir un système universel, dont la firme Hennebique démontre les possibilités dans l'immeuble de son siège, 1, rue Danton : il s'agit de montrer que le béton peut ressembler à la pierre, et le passant inattentif s'y trompe.

Utilisé à l'origine pour les bâtiments industriels et publics (Grand Palais, salle Gaveau, Saint-Jean-de-Montmartre), il ne commence à se répandre dans la construction d'immeubles de rapport qu'après les expériences concluantes des frères Perret (voir p. 146) : "Le béton, c'est de la pierre que nous fabriquons, bien plus belle et plus noble que la pierre naturelle. Il lui faut faire l'honneur de l'éveiller. On peut la travailler au marteau, on la boucharde, on la cisaille, on la laye avec tous les instruments qui servent à aviver la pierre. Le béton sorti de décoffrage est tout vibrant de ces sortes de cannelures que lui impriment les planches de son moule."

Mais on se plaît aussi à le revêtir de grès flammé, de mosaïque, de céramique blanche ou colorée, pour souligner l'ossature ou la masquer. Enduit et peint en blanc conformément à l'esthétique puriste dans les années 1920, brut de décoffrage ou bouchardé, variantes modernes du bossage classique, dans l'esthétique brutaliste des années 1960, revêtu de pierres agrafées pour lui donner une élégance bourgeoise, le béton autorise les expressions les plus variées.

6, rue de Hanovre, 2ᵉ, par Adolphe Bocage, 1905 : le béton orné, ici revêtu de grès flammé

■ La brique et la terre cuite
Brique artisanale et brique industrielle

Première pierre artificielle "à formes géométriques régulières", la brique n'est employée anciennement que dans des édifices de qualité, hôtels particuliers, places royales. Sa fortune est beaucoup plus grande au XIXᵉ siècle : la brique industrielle moderne présente un double attrait, économique avec la mécanisation de sa fabrication, formel avec une plus riche polychromie (rouge, jaune, gris, vert) qui s'enrichit de vernis variés (bleu, vert profond, jaune soleil, etc.). Des années 1880 aux années 1930, nombre d'architectes explorent les qualités constructives de la riche gamme de la brique industrielle, qui autorise de multiples effets décoratifs[1] : brique rouge de

176, avenue Mozart, 16ᵉ, par Jean Boussard, 1895 : brique vernissée bleue pour un immeuble de standing.

306, rue Saint-Honoré, 1ᵉʳ, par Auguste Sellerier, 1892 : la "brique décorative".

Bourgogne, brique blanche de Montereau, brique de Champigny rouge soutenu, brique de Dizy rosée, brique silico-calcaire d'Allemagne, fabriquée à Reims à partir de 1905, etc.

Le modeste immeuble bâti rue du Château par Paul Delaruemenil en 1904, qui a su "trouver sans sculpture ni moulurage le procédé propre à rendre agréable, gaie, même pittoresque, la façade sur rue d'un si économique bâtiment", retient l'attention de la critique à cause de "l'effet agréable des colorations fournies par la brique" (voir p. 41). Mais la brique vernissée vient colorer aussi des immeubles de plus haut standing, comme l'immeuble de l'avenue Mozart (voir ci-dessus).

VOIR AUSSI *51, rue du Faubourg-Poissonnière, 9ᵉ, par Charles Babet, 1895 • 19, rue Robert-Lindet, 15ᵉ, par Charles Foras, 1903 • 3, rue Beaunier, 14ᵉ, par Paul Huillard et Louis Süe, 1907-1912 • 2, rue Duc, 18ᵉ, par Léon Besnard, 1922-1925 • 6, rue Larrey, 5ᵉ, par Jean-Georges Albenque et Eugène Gonnot, 1923-1926 • 3, rue Émile-Duclaux, 15ᵉ, par Eugène Bidard, 1925 • 116, rue de Javel, 15ᵉ, par Clément Feugueur, 1935.*

1. Jules Lacroux, *Constructions en briques, La Brique ordinaire du point de vue décoratif*, Ducher, 1878 ; Pierre Chabat et Félix Monmory, *La Brique et la Terre cuite*, Veuve A. Morel, 1881.

Revêtements, céramique et mosaïque

L'intérêt pour la céramique ornementale extérieure se développe à partir des années 1840, dans le cadre de la redécouverte de la polychromie de l'architecture grecque et des céramiques orientales, mais plus encore après 1880, en liaison avec le développement de l'architecture métallique : brevet déposé par Jean-Baptiste Pichenot en 1840, céramiques architecturales de Léon Parvillée, céramiques décoratives d'Émile Müller, grès flammés d'Alexandre Bigot (argiles spéciales cuites avec des émaux durs). Ces expériences, qui fleurissent au tournant du siècle dans le cadre de l'Art nouveau, se poursuivent et se diversifient dans les années 1920-

7, rue Lebouis, 14ᵉ, par Émile Molinié, 1913 : sgraffite.

2, rue Degas, 16ᵉ, par Georges André Gille, 1935 : grès cérame cassé traité en mosaïque.

34, avenue de Wagram, 8ᵉ, par Jules Lavirotte, 1904 (primé au concours de façades de 1905) : grès flammé d'Alexandre Bigot.

1930, lorsque se généralisent les ossatures de béton : mosaïque ; mosaïque de pâte de verre ; grès cérame cassé ; granito – déchets de marbre amalgamés dans un fin mortier.

Alternative heureuse au traditionnel enduit de plâtre, la technique du sgraffite (Eugène Ledoux, *Les Enduits sgraffités dans la décoration des façades*, Paris, s.d.) se répand à Paris à partir de 1910 et encore après la Première Guerre mondiale : sur un mortier de chaux, de sable et de brique pilée, encore humide, on applique la couleur et on reporte le dessin, avant de gratter ce qui doit apparaître en sombre. **VOIR AUSSI** *3, rue de Liège, 9ᵉ, par Paul Marozeau, 1926 : corniche décorée de mosaïque • 45, rue de Tocqueville, 17ᵉ, 1920-1923 : mosaïque de pâte de verre.*

Le mur usiné : mur-rideau et béton préfabriqué

Mis au point dans les années 1930 (pavillon Saint-Gobain à l'exposition internationale de 1937), le mur-rideau, rêve de transparence, dont Jacques Tati se moque dans son chef d'œuvre *Playtime*, bouleverse le système de la façade des immeubles contemporains. Le slogan sur la "machine à habiter" devient une réalité économique. Murs-rideaux en verre, en tôle d'aluminium, en polyester, mais aussi panneaux de béton préfabriqués accrochés à l'ossature : la recherche sur les qualités techniques de l'enveloppe devient essentielle. Les panneaux industriels dessinés par Jean Prouvé s'imposent pour leurs qualités techniques et esthétiques.

5, square Mozart, 16ᵉ, par Lionel Mirabaud et Jean Prouvé (pour les panneaux des murs rideaux), 1954 : ossature de béton armé et murs-rideaux avec volets d'aluminium coulissants fonctionnant comme allège en position basse, comme persienne en position haute et comme store en position basculée.

La façade ornée

■ Quelques ornements choisis

Longtemps les ornements les plus élaborés ont été réservés aux églises, aux palais et aux hôtels. L'écriture abstraite des moulures est le principal ornement des maisons bourgeoises, avec quelques ornements choisis pour donner "un air de gaieté aux édifices les moins considérables", selon l'expression de J.-F. François Blondel. Comme la calligraphie tient à une belle alternance de pleins et de déliés, l'écriture architecturale repose d'abord sur le jeu des reliefs – plinthes et moulures – et des creux – joints et refends – qui viennent s'inscrire sur le nu du mur, décor que la lumière fait vibrer selon les saisons, les moments du jour et le temps.

Les maisons du vieux Paris ne jouent souvent que sur cette calligraphie abstraite, mais l'usage plus courant de la pierre au XVIIIe siècle favorise l'emploi mesuré d'ornements sculptés – agrafes, cartouches et mascarons, voire de bas-reliefs. Au XIXe siècle, quand la maison devient immeuble et

39, rue Notre-Dame-de-Lorette, 9e, vers 1840 : cordons ornés de postes, en bas, et de grecques, en haut.

s'impose dans la rue comme un quasi-monument, ces ornements se multiplient, se diversifient et finissent par développer une iconographie : atlantes et cariatides, figures célébrant la famille, le travail, le commerce ou les arts.

Si les types d'immeuble parisien, peu nombreux, donnent à la ville une grande cohérence visuelle, l'œil de promeneur peut être constamment tenu en éveil par la variété presque infinie des assemblages de moulures, et plus largement de tous les ornements qui qualifient ces séquences de baies et d'étages en suivant les modes architecturales : ornements rocaille, néogrecs et néoclassiques, avant l'ouverture du portefeuille sans limite de l'éclectisme classique, néo-Renaissance et néogothiques ou encore exotiques, mauresques ou chinois.

Plinthes et moulures

"Les moulures sont à l'architecture ce que les lettres sont à l'écriture", écrit d'Aviler à la fin du grand siècle : "Or, comme il se fait une infinité de mots en diverses langues, aussi par le mélange des moulures on peut inventer quantités de profils différents pour toutes sortes d'ordres et de compositions, régulières et irrégulières" [1]. On ne peut mieux dire.

Les façades les plus simples de Paris ne portent d'autres ornements que les plinthes qui marquent les étages. François Blondel, professeur à l'Académie royale d'architecture, note en 1673 : "L'usage des maçons de Paris est de faire des plinthes au droit des planchers de chaque étage, et d'autres au droit des appuis des fenêtres, mais ces deux cours de plinthes, qui interrompent la hauteur des étages, rendent les façades trop mesquines. Il n'y en a qu'un seul cours aux maisons des particuliers à Rome, lequel fait l'appui des fenêtres, ce qui rend les divisions des premiers étages des façades plus grandes et plus exhaussées. Et cela a été déjà pratiqué heureusement en quelques bâtiments de Paris." [2]

1. Augustin-Charles d'Aviler, *Cours d'architecture*, Paris, 1691 (rééd., éditions de l'Esperou, Montpellier, 2002), p. I, "Des moulures".
2. Louis Savot, *L'Architecture française des bâtiments particuliers*, avec des notes de F. Blondel, Paris, 1673.

Dans la seconde moitié du XVIIe siècle, la plinthe double disparaît et l'on commence à descendre l'allège jusqu'au plancher, ou presque, pour agrandir la fenêtre et faire entrer plus largement le jour dans les appartements ; cela donne aux façades parisiennes un caractère propre, qui n'a rien de romain, contrairement au vœu de Blondel. Cependant, dans le dernier tiers du XVIIIe siècle, le goût néoclassique pour le plein des murs et, au tournant du siècle, l'admiration portée à l'architecture de la haute Renaissance, conduisent à l'adoption du modèle de fenêtre romain : plus petite, elle repose sur un cordon plus haut, à hauteur de l'allège.

La moulure qui marque l'étage est longtemps un simple bandeau, sans décor. Vers 1760, cette plinthe porte souvent une frise de postes "à la grecque", avant que l'éclectisme ne réintroduise tous les motifs du répertoire classique et préclassique, exotique et néogothique.

VOIR AUSSI *Maison Choppin d'Arnouville, 61, rue Dauphine, 6e, par Pierre Desmaisons, 1769 : moulures ornées d'entrelacs à la grecque.*

Refends, bossages et tables

Le parement du mur peut être appareillé de manière à laisser des joints le plus discrets possible, donnant l'impression que le mur est fait d'un seul bloc ; il peut au contraire être creusé de refends, c'est-à-dire de canaux accusant ou simulant les joints. Lorsque le parement est en saillie, on parle de "bossage", dont la surface peut être lisse, piquetée, irrégulière (bossage rustique), creusé de vermiculures (bossage vermiculé), etc.

Les motifs complémentaires du refend et du bossage peuvent être utilisés en bandes verticales pour souligner les angles ou encadrer un avant-corps, ou en surface pour donner un caractère de socle aux premiers registres – rez-de-chaussée et entresol. Cette formule, qui apparaît à la fin du XVIIe siècle sur les places royales et certains grands hôtels, est reprise sur des maisons bourgeoises et des immeubles de rapport. L'architecture éclectique du XIXe siècle explore toutes les variétés de bossages : piquetés ou vermiculés, à chanfrein ou en pointes de diamant. Vers 1900, les gros bossages arrondis plaisent particulièrement, pour leur rondeur cossue, comme le souligne un critique du temps à propos d'un nouvel immeuble qui s'élève près de la place des Victoires

4, avenue de Tourville, 7e, par Eugène Dutarque, architecte, Désiré-Célestin Fossé, statuaire, Laurier, sculpteur, 1891 : bossages vermiculés.

6, rue Saint-Florentin, 1er, par Legrand et Molinos, 1789 : refends qui viennent souligner la matérialité du mur, dans l'esthétique néoclassique.

(2, rue des Petits-Pères, 2ᵉ, par G. Sinell, 1899) : "Le soubassement à bossages offre ici comme ailleurs une ampleur cossue, une grande hardiesse de structure selon les règles classiques des maîtres du XVIIIᵉ, ces grands appareilleurs de pierre." Le nu du mur peut aussi être animé par des tables, surfaces en relief ou en creux soulignées parfois en outre par un contraste chromatique de matériaux, pierre sur brique ou brique sur pierre (voir pp. 44 et 135).

36, rue de Bellechasse, 7ᵉ, par Michel Le Tourneau, 1904 : gros bossages arrondis et opulents, caractéristiques de la Belle Époque.

Clefs et cartels, agrafes et consoles

Les clefs d'arcade et de baie, de porte et de fenêtre, sont souvent soulignées d'un motif abstrait – clef saillante, volute, cuir – ou d'ornements sculptés – mascaron, littéralement "grand masque", tête masculine ou féminine, généralement de convention, grimaçante ou souriante –, voire d'objets parlants, comme la peau du lion de Némée, attribut d'Hercule (4, rue Royer-Collard, 5ᵉ, 1735).

Petit cartouche de cuir, le cartel se place le plus souvent au-dessus de la porte, parfois à la clef, et porte le chiffre du propriétaire – on peut encore le trouver au XIXᵉ siècle, quand les immeubles de rapport sont bâtis par un propriétaire unique, si ce dernier se réserve le bel étage – et plus généralement le numéro de la maison, dont l'usage s'impose sous le premier Empire. De 1830 à 1914, les cartels déclinent toute l'histoire des styles selon le répertoire éclectique : cartouches bellifontains, cuirs complexes de style Henri IV et Louis XIII, gros cartouches Louis XIV, cartouches rocaille, etc.

Lorsque apparaît, puis se généralise, le balcon, un autre motif vient animer la façade de l'immeuble parisien : la console qui en soutient le porte-à-faux (voir p. 92). À la gradation précédente – clef nue, clef ornée, cartel, mascaron – correspond une gamme parallèle : simple corbeau, console abstraite ou ornée de guirlandes, console zoomorphe, sculptée de figure de lion ou d'éléphant (voir p. 144), atlante et cariatide, engainés ou non.

60, rue du Faubourg-Poissonnière, 10ᵉ, par Alfred Aldrophe,
1882 : console typique du classicisme éclectique.

12, avenue de Lowendal, 7ᵉ, par Postel-Vinay, 1905 :
console ornée de feuillages de marronniers.

Pilastres et colonnes

Dans l'esthétique classique, les ordres, colonnes et pilastres sont le principal ornement de l'architecture. À ce titre, ils conviennent mieux aux grands édifices, églises et bâtiments publics, palais et hôtels, qu'aux maisons et aux immeubles. Sous l'Ancien Régime, ils n'apparaissent guère que sur les immeubles qui entourent les places royales. Mais la volonté de monumentaliser la ville autour des nouvelles percées favorise leur utilisation sur les immeubles édifiés à partir des années 1830, ce qui conduit à une relative dévaluation de cet ornement, que compense la plus grande variété des formes, l'éclectisme puisant dans les répertoires singuliers que l'esthétique classique avait voulu écarter : pilastres et colonnes de la première Renaissance, triplets vénitiens, grand style "baroque", ordres néogrecs, etc.

4, rue d'Aboukir, 2ᵉ, par Jules de Joly, avant 1830 : colonnette ionique à la retombée de l'arc de la baie serlienne.

21, boulevard Saint-Germain, 5ᵉ, par Jean-Marie Boussard, 1881 : grandes colonnes ioniques sur cette façade typique de l'éclectisme classique.

64, boulevard Saint-Germain, 5ᵉ, L. Cernefson, Arch. 1868 : pilastre corinthien d'ordre colossal embrassant deux étages.

■ La façade animée

Jusqu'à la monumentalisation éclectique du paysage architectural parisien, les ornements des immeubles privés restent pour l'essentiel abstraits, à quelques mascarons et bas-reliefs près. À partir des années 1840, le goût pour l'ornement sculpté se décline selon tous les styles, néo-Renaissance et néogothique, néoclassique et néorocaille ; la monumentalisation de l'immeuble de rapport autorise l'introduction de figures jusque là réservées à l'architecture noble : cariatides et atlantes, médaillons et bustes, allégories de toute sorte, selon une variété qui s'épanouit à la fin du siècle, au point que le nom des sculpteurs finit par apparaître souvent, sur les façades, à côté de celui des architectes. Formés au dessin et à la sculpture d'ornement, plusieurs générations de sculpteurs viennent ainsi orner le paysage de la rue, comme d'autres scandent les jardins.

1 *bis*, place de l'Alma, 8ᵉ , vers 1910 : mascaron Belle Époque.

4, rue des Chartreux, 6ᵉ, 1881 : le "génie de la sculpture décorative".

Mascarons et consoles zoomorphes

Le motif du mascaron est largement utilisé dans l'architecture de la Renaissance, notamment en Vénétie, à l'imitation de l'arc antique des Gavi à Vérone (par Falconetto à Padoue, Sansovino à Venise, Sanmicheli à Vérone et Palladio à Vicence). Il apparaît à Paris au milieu du XVIᵉ siècle, à l'hôtel Carnavalet et au Louvre.

Au début du XVIIIᵉ siècle, le mascaron, dont l'usage avait été discuté à l'Académie royale d'architecture, se diffuse dans l'architecture des maisons bourgeoises. Placé le plus souvent à la clef d'une porte, d'une fenêtre ou d'une arcade de boutique, parfois entre deux fenêtres, le mascaron, figure masculine ou féminine, est souvent disposé en alternance, de travée en travée ou d'étage en étage. À la suite du fameux Mascarone, dessiné par Michel-Ange pour la Porta Pia à Rome, certains sont des figures grotesques, comme ce mascaron tirant la langue aux passants (15, rue Charles-V, 4ᵉ). Le mascaron peut prendre une signification plus spécifique par un jeu d'attributs choisis, figurer un satyre, représenter une divinité antique (Pan, Hercule, Flore, Diane ou Minerve) ou évoquer le cycle des saisons ou les âges de la vie.

117, rue Saint-Denis, 1ᵉʳ, vers 1715 : mascaron rococo de pierrre.

146, boulevard de Charonne, 20ᵉ, 1929, par Louis Sarret : mascaron art déco.

L'éclectisme classique reprend le motif, qu'il libère peu à peu de ses prototypes de la Renaissance et de ses modèles rococo : au tournant du siècle, on trouve des têtes classiques, mais aussi des têtes de lion et les figures souriantes du classicisme floral. Un dernier regain, modeste, marqué par les masques africains et l'abstraction primitiviste s'observe dans les années 1930.

VOIR AUSSI *366, rue Saint-Honoré, 8ᵉ, 1705 et 129, rue Saint-Honoré, 1ᵉʳ, vers 1715 : mascaron de Vénus • 151 bis, rue Saint-Jacques, 5ᵉ, 1718 : mascaron de satyre, placé entre deux fenêtres • 13, rue Tiquetonne, 2ᵉ, 1734 : mascarons attribués à J.-M. Oppenord • 11, rue de la Ferronnerie, 1ᵉʳ, avant 1739 : mascarons féminins • 12, rue de Jouy, 4ᵉ, 1743 : mascarons d'Hercule • 45, rue du Temple, 4ᵉ, vers 1746 : mascarons barbus.*

40, rue Notre-Dame-de-Lorette, 9ᵉ, par l'entrepreneur Martin Gaillard, 1839 : mascaron romantique de plâtre.

Atlantes et cariatides

Les cariatides et les atlantes, colonnes anthropo-morphes féminines et masculines, appartiennent au répertoire classique. Utilisés dans les palais et les bâtiments publics (tribune des musiciens de la grande salle du Louvre, par Pierre Lescot, 1552 ; pavillon de l'Horloge du Louvre par Jacques Lemercier, 1638 ; hôtel de ville de Toulon par Pierre Puget, 1656), ils participent à la monumentalisation des immeubles parisiens à partir du second Empire. Leur nombre ne cesse de croître jusque vers 1900.

Commentant les "maisons les plus remarquables bâties à Paris sous le second Empire", César Daly suggère une gamme ornementale : "La maison de loyer de première classe doit compter des cariatides qui montrent toute la partie supérieure de leur corps, celle de deuxième classe laisse passer le buste seulement, et pour la troisième classe, et naturellement celles qui suivent, la statuaire disparaît au profit d'ornements plus économiques."

Ils sont utilisés pour encadrer le portail, soutenir les balcons du premier ou du second étage ; une des ordonnances les plus fréquentes est le couple de cariatides ou d'atlantes encadrant, au-dessus des piédroits du portail, l'arcade de l'imposte, soutenant de la tête le balcon du premier étage et tendant la main vers la clef sculptée au centre.

1, rue de l'Yvette, 16ᵉ, par Jean Boussard, 1911 : cariatides "libérées" assises sur le balcon de pierre de l'entresol.

21, boulevard Saint-Germain, 5ᵉ, par Jean-Marie Boussard, 1881 : cariatide autour de la porte.

À la fin du siècle, le motif se libère des modèles classiques. Les figures sont placées plus librement sur la façade, leurs types se diversifient, leurs attitudes et leurs expressions deviennent plus naturelles. On les trouve toujours encadrant la porte, soutenant les balcons, mais aussi assises sur une corniche, accoudées sous un balcon, ou debout, bras tendus, aux angles d'un bow-window. Elles se confondent avec des figures de nymphes à la manière de Jean Goujon (30, avenue de Messine, 8ᵉ), de sirènes (33, rue d'Amsterdam, 8ᵉ) ou de "femmes fleurs" modernes, tandis que les atlantes deviennent paysans, mineurs, ouvriers du bâtiment (voir p. 63).

VOIR AUSSI *55, boulevard Malesherbes, 8ᵉ, Jules et Paul Sédille, 1864 • 12, rue du 4-Septembre, 2ᵉ, par André Cheviron, sculptures par Aimé Millet, 1865 • 2, rue Blanche (place d'Estienne-d'Orves), 9ᵉ, par Charles Forest, 1866 • 19, rue des Halles, 1ᵉʳ, par Jean Lobrot, sculptures par Charles Gauthier, 1869 • 144, rue La Fayette, 10ᵉ, par Édouard Bal, 1870 • 82, rue Notre-Dame-des-Champs, 6ᵉ, par Constant Lemaire, 1904-1905 • 48 bis, rue de Rivoli, 4ᵉ, par Auguste Guarriguenc, 1905 • 43, rue des Petits-Champs, 1ᵉʳ, par Gustave Rives, 1911.*

80, boulevard Saint-Germain, 5ᵉ, par l'architecte Noël, 1863 : cariatide au premier étage.

Bas-reliefs et hauts-reliefs

Dans le vieux Paris, quelques unes portent des images pieuses ("L'Annonciation", 89, rue Saint-Martin 4ᵉ, vers 1680) ou des enseignes ("Le Renard d'Or", 35, rue Saint-Honoré, 1ᵉʳ, début XVIIIᵉ). Posées, peintes ou sculptées en bas relief, ces dernières sont composées parfois comme des rébus : le cygne enroulant son cou autour d'une croix, en bois peint, sur la façade du 13, rue Saint-Séverin, 5ᵉ, doit se lire "Au signe de la croix".

Employé dès le milieu du XVIIᵉ siècle comme ornement mural sur les palais et les hôtels, le bas-relief se répand à la fin du XVIIIᵉ siècle sur les maisons et immeubles de rapport, dans le contexte du retour à l'antique, souvent sur des thèmes variés : attributs des arts et de la musique, les cinq sens (voir p. 100)…

199-201, rue de Charenton, 12ᵉ, par Raoul Brandon, primé au concours de façades de 1911 : atlante paysan en pendant à un atlante mineur.

Le triomphe de l'éclectisme, à partir de 1840, favorise le développement des ornements en haut et bas reliefs : têtes dans des médaillons à la manière de la première Renaissance française, figures couchées sur les écoinçons inspirées de Goujon. L'éclectisme favorise aussi le développement d'un répertoire sculpté plus varié, qui, à la fin du siècle, prend un tour naturaliste : grandes fleurs, souvent des tournesols, petits animaux familiers, oiseaux, chats et chiens. Le bas-relief peut désormais venir qualifier toutes les façades, jusqu'aux habitations ouvrières conçues comme des palais pour le peuple.

14, rue Monge, 5ᵉ, immeuble de l'Association fraternelle des ouvriers maçons et tailleurs de pierre, 1868 : frontons ornés d'outils de maçons et de tailleurs de pierres.

34, rue Pasquier, 8ᵉ, par Alexandre et Pierre Fournier, 1927, pour la Société financière, française et coloniale : bestiaire 1930.

Quand l'immeuble raconte une histoire

132, rue de Courcelles, 17ᵉ, par Théo Petit, 1907.

Si la sculpture ornementale domine sur les façades d'immeubles de rapport, des figures allégoriques relevant du répertoire classique peuvent illustrer les saisons, la musique ou les arts (1-3, rue Cambacérès, 8ᵉ) ; des médaillons sculptés peuvent honorer de grands hommes : monuments à Molière sur le 31, rue du Pont-Neuf, 1ᵉʳ, en 1830 (l'inscription date de l'an VIII) et à Monge, sur le 21, rue des Écoles, 5ᵉ, en 1879.

Les immeubles commerciaux et philanthropiques portent naturellement à un répertoire plus varié (voir p. 60), mais, vers 1900, des immeubles d'habitation bourgeois commencent à porter aussi un décor parlant, célébrant l'intimité et la famille, ou encore le travail.

Il est difficile de faire le lien entre les animaux et la violoniste sculptés en bas relief à la hauteur de l'entresol d'un grand immeuble, 132, rue de Courcelles, 17ᵉ (par Théo Petit, 1907), mais, sur la façade du 276, boulevard Raspail, 14ᵉ du même architecte (1905), trois couples, sculptés en demi-relief, évoquent trois âges de la vie et trois formes de l'amour : un couple d'amoureux, un couple avec des enfants, un couple de vieillards unis par la tendresse conjugale. Rue Cassini, 14ᵉ (n° 3, par F. Saulnier), le visiteur est accueilli par une jeune femme tenant une gerbe de fleurs et une joueuse de luth,

139, rue La Fayette, 10ᵉ, par Eugène Delestre, 1897-1898.

sculptées en bas relief ; le sculpteur, A. Vermare, s'est amusé à représenter un nid, dans un angle, au-dessus. Près de la place de la Nation au-dessus de la porte du 6, rue Dorian (12ᵉ, par J. Falp, 1909), une tête féminine sourit à la clé tandis que deux autres têtes de fillettes se glissent au-dessus du linteau ; bref, la petite famille accueille le père et l'époux. Au-dessus de la porte d'un immeuble de rapport, rue La Fayette, un message voisin, plus discret : des oiseaux volent autour d'un nid sculpté. Ailleurs, les traditionnels atlantes deviennent travailleurs, paysans, mineurs (voir p. 60), ou des ouvriers du bâtiment au travail sous un balcon (ci-contre). La fable de La Fontaine, *Le corbeau et le renard*, est sculptée sur la façade du 40, avenue Félix-Faure, 15ᵉ, 1907.

97 *bis*, rue de Crimée, 19ᵉ : tailleur de pierre et plâtrier au travail.

La façade fleurie

Déjà au XVIᵉ siècle, les étrangers remarquent que les femmes de Paris fleurissent leurs fenêtres. L'usage a perduré, mais les architectes se sont plu aussi à orner les façades des plus beaux immeubles de fleurs sculptées, émaillées, peintes ou forgées. Guirlandes de roses du répertoire classique, fleurs stylisées ou naturelles, elles peuvent fleurir sur le mur en bas relief, s'enrouler en fer forgé autour des balcons, s'offrir en corbeilles au-dessus de la porte ou s'épanouir sous les corniches, où le sculpteur esquisse parfois un treillage, comme au 48, boulevard Richard-Lenoir, 11ᵉ, par E. Thomas, 1910.

Parmi les ornements rocaille se glissent parfois des fleurs naturelles, comme les grands tournesols sculptés par l'ornemaniste Nicolas Pineau sur les consoles du balcon de la grande maison de rapport bâtie en 1752 par Jacques Hardouin-Mansart de Sagonne, 56, rue des Francs-Bourgeois, 3ᵉ. Les guirlandes de roses festonnées, qui appartiennent, comme les linges, à l'architecture sacrée et à la sculpture funéraire antique, avant d'être reprises depuis la Renaissance comme ornements du mur, viennent enrichir les plus beaux immeubles néoclassiques.

Avec l'éclectisme le motif se diversifie avant de prendre un tour plus naturaliste à la fin du XIXᵉ siècle.

Fleurs stylisées éclectiques
39, rue du Faubourg-Poissonnière, 9ᵉ, par Francis Equer, 1858.

Porte fleurie
11, avenue Émile-Deschanel, 7ᵉ, par Gaston Granjean, 1911.

Balcon fleuri 1900
132, rue de Courcelles, 17ᵉ, par Théo Petit, 1907.

Autour de 1900, si les façades s'ornent de feuillages (feuilles de marronnier, pampres de vigne, houx, palmes, etc.), elles accueillent aussi des fleurs naturelles de toutes sortes qui se mêlent aux entrelacs rocaille et s'épanouissent sur les façades Art nouveau (dont le nom en Italie est "arte floreale") : roses, pivoines, hortensias, iris et tournesols.
Vers 1930, les fleurs s'écrasent en aplats plus abstraits, mais on reconnaît toujours des pivoines ou des roses.

Baie fleurie
29, boulevard de Courcelles, 17e, par Xavier Schœllkopf, 1902.

Corniche fleurie
23, avenue de Messine, 8e, par Jules Lavirotte, 1907.

209, rue de la Convention, 15e, par Clément Feuqueur, 1934.

VOIR AUSSI *5, rue Biscornet, 12e, par Louis Mazary, architecte, Julien frères, sculpteurs, 1913 : roses • 337, rue des Pyrénées, 20e, par A. Philippon, 190 : iris et tournesols • 24, rue Chaptal, 9e, par Henri Petit, 1909 : pivoines • 12, rue Pierre-et-Marie-Curie, 5e, par Victor Rich, 1910 : hortensias • 5-5 bis, rue Eugène-Manuel, 16e, par A. Dubouillon, 1926 : grandes fleurs en aplats.*

Mur fleuri
21-23, rue Froidevaux, 14ᵉ, par Georges Grimberg, 1929 :
fleurs stylisées de mosaïque pour un immeuble d'artistes.

Six siècles de façades

"Il faut admirer et refeuilleter sans cesse
le livre écrit par l'architecture."
Victor Hugo, *Notre-Dame de Paris*, 1831.

Le vieux Paris (1400-1650)
Des maisons à pignon sur rue aux maisons à mur gouttereau

"Du haut de la Sorbonne, on voit Paris avec étonnement, et il faut du temps pour assurer ses yeux et les accommoder à l'embarras des maisons."

Henri Sauval, *Histoire et recherches des antiquités de la ville de Paris*, Paris, 1724 (rédigé vers 1660).

L e plan de Paris publié par Jacques Gomboust en 1652 donne une image assez exacte de Paris à la majorité de Louis XIV : la Cité au milieu du fleuve, avec l'île Notre-Dame (aujourd'hui Saint-Louis), tout récemment urbanisée ; l'université sur la rive gauche, toujours enfermée au sud par le mur de Philippe Auguste (1190-1202)[1] ; la ville sur la rive droite, enclose à l'est par l'enceinte de Charles V (1356-1360), renforcée, de la Bastille à la porte Saint-Denis, d'un rempart bastionné[2], et à l'ouest par l'enceinte, dite des Fossés jaunes (1562-1635), qui s'en écarte pour englober, au-delà de l'enceinte de Charles V désaffectée[3], le quartier Richelieu, le premier faubourg Saint-Honoré et

le jardin des Tuileries. L'enclos du Temple intra-muros, le bourg Saint-Germain extra-muros, les faubourgs, étirés le long des rues jusqu'aux portes du même nom (Saint-Antoine, Saint-Marcel, Saint-Jacques, Saint-Michel, Saint-Germain, Saint-Honoré), complètent cette structuration urbaine.

Sur le plan de Gomboust, les maisons ordinaires (4 000 maisons à Paris en 1637, selon "la taxe des boues") sont figurées par de simples pointillés. De ce tissu primitif, il reste peu de chose : une grande part disparut lors de la restructuration haussmannienne et une autre dans la lutte contre l'insalubrité, jusqu'à la fin du dernier siècle ; le reste est remanié, surélevé, modernisé dans ses baies ou sa peau.

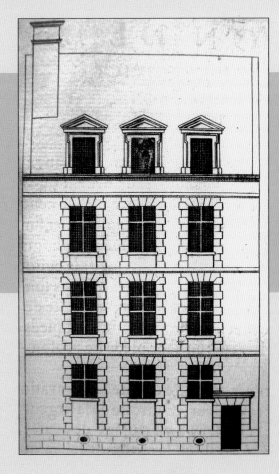

Modèle de maison à bâtir sur un terrain de 30 pieds (environ 10 m) de large sur rue. Pierre Le Muet, *Manière de bâtir pour toutes sortes de personnes,* Paris, 1623.

Les rues des Fossés-Saint-Bernard, des Fossés-Saint-Victor (aujourd'hui du Cardinal-Lemoine) des Fossés-Saint-Jacques, [des Fossés] Monsieur-le-Prince et Mazarine, gardent la mémoire de cette enceinte, qui rejoignait la tour de Nesle, à l'emplacement de l'Institut.
C'est la ligne des Grands Boulevards, du boulevard Bourdon au boulevard Montmartre.
Les rues du Mail et de Cléry, doublées par la rue d'Aboukir (ancienne rue des Fossés-Montmartre), sont la trace de l'enceinte de Charles V, lotie après la construction du nouveau rempart des Fossés jaunes, qui allait du bastion de la rivière (dont une face reste visible sur la place de la Concorde, c'est le mur de terrasse des Tuileries), à la porte Richelieu, cette partie des boulevards étant tracée en avant de l'enceinte.

Du XVᵉ au XVIIᵉ siècle, la maison bourgeoise parisienne conserve le même parti de plan adapté aux parcelles étroites du cœur de ville : un couloir latéral longe la boutique, qui ouvre sur la rue par une grande arcade, ou la salle basse, devant une arrière-boutique ou une cuisine ; au-dessus, chambres, garde-robes et cabinets se superposent sur un nombre variable d'étages, de trois à cinq, desservis par un escalier (en vis, puis à volées droites et quartiers tournants), qui est installé parfois sur rue, plus souvent au fond du couloir, saillant plus ou moins sur la cour.

Ni les matériaux des murs de façade (pan de bois sur bahut de pierre ou moellons avec jambes de raidis- sement, crépis de plâtre de Montmartre ; plus rare- ment brique et pierre ou pierre de taille), ni les types de baie (croisées et demi-croisées), ni la mouluration (encadrements des portes et fenêtres, cordons et corniches), ni le décor (quelques enseignes, inscriptions ou images pieuses) ne permettent de proposer une datation serrée.

La lecture est en outre brouillée par des altérations partielles : surélévations faisant disparaître les pignons, enduits masquant la structure constructive, baies remaniées, balcons et appuis de fer forgé ajoutés postérieurement, lucarnes simplifiées ou restituées d'après les modèles gravés de Le Muet.

Le vieux Paris (1400-1650)
Des maisons à pignon sur rue
aux maisons à mur gouttereau

Traits et motifs distinctifs

Mur à pan de bois, apparent ou enduit (jusqu'au milieu du XVIIe siècle) : 11 et 13 rue François-Miron, 4e. Maisons très restaurées en 1966-67 ; le pignon à droite est une invention de l'architecte R. Herrmann.

Pignon sur rue ; croisées et demi-croisées, percées sans régularité (XVe et XVIe siècles) : 31-33, rue Galande, 5e.

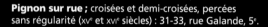

Mur gouttereau sur rue à grandes lucarnes de pierre, croisées plus régulièrement espacées (XVIIe siècle) : 26-30, rue de la Grande-Truanderie, 1er.

Mur en moellons crépis ; encadrements des portes et fenêtres, cordons, corniche et lucarnes de pierre : 5, rue du Mail, 2ᵉ (la rue est percée en 1635).

Porte de menuiserie à panneaux cloutés (jusque vers 1640-50) : 8, rue Sauval, 1ᵉʳ.

Travées de fenêtres recoupées par des cordons (moulures horizontales), le plus souvent traités en bandeau (moulure plate de section rectangulaire) au niveau des planchers et/ou de l'appui des croisées : 3, rue aux Ours, 3ᵉ, vers 1650.

3, rue Volta, 3ᵉ.

51, rue de Montmorency, 3e.

une inscription courant en frise au-dessus du rez-de-chaussée. S'il est impossible d'assurer qu'elle est la plus ancienne de Paris, elle est assurément la plus ancienne qu'on puisse dater, bien qu'elle ait été dénaturée par des altérations successives, comme par la restauration intervenue à l'occasion de l'exposition universelle de 1900 : la façade a perdu le grand pignon qui la caractérisait, les fenêtres ont été reprises, et l'inscription primitive regravée est surmontée d'un cartel folklorique liée à son affectation actuelle : "Auberge Nicolas Flamel".

La plus vieille maison de Paris ?

51, rue de Montmorency, 3ᵉ, 1407 (lourdement restaurée en 1900).

Si l'archéologie a mis au jour des vestiges d'habitat gallo-romain, s'il reste nombre de caves gothiques, les plus anciennes maisons de Paris visibles en élévation sur la rue ne datent que du début du XVᵉ siècle.

La maison construite, pour servir de refuge aux pauvres, par Nicolas Flamel, qui passait pour un savant alchimiste, est datée de 1407 par

La maison de Nicolas Flamel, dans "Le vieux Paris à l'exposition de 1900", *Le Monde moderne, revue mensuelle illustrée*, janvier 1900.

Le mythe de la plus vieille maison de Paris

3, rue Volta, 3ᵉ, prétendument édifiée au XIIIᵉ siècle, bâtie en fait vers 1650.

Menacée d'alignement en 1914, cette maison fut sauvée sur la présomption d'avoir été construite au XIIIᵉ siècle. Longtemps considérée comme "la plus vieille maison de Paris", en dépit du mur goutte-reau sur rue, indice d'une date plus tardive, elle fut bâtie entre 1644 et 1654, comme on put l'établir en 1979. Elle témoigne, malgré l'interdiction énoncée par un édit de 1607, de la résistance de l'usage de bâtir en bois à Paris : Pierre Le Muet en 1623, dans sa *Manière de bâtir*, et Mathurin Jousse en 1627, dans son *Théâtre de charpenterie*, donnent encore des modèles de maisons à pan de bois.

La façade, ici, exprime bien les distributions intérieures primitives : deux boutiques au rez-de-chaussée (avec deux salles sur l'arrière), une allée commune au centre menant à l'escalier (en demi-hors-d'œuvre sur cour), quatre étages de chambres (deux sur rue, deux sur cour). Le comble, primitivement couvert de tuiles, reçut de nouvelles lucarnes dans la seconde moitié du XVIIIe siècle, selon le principe constant de réfection partielle de ces petites maisons qui en brouille la datation.

3, rue Volta, 3e (détail).

Maisons du XVIe siècle à pignon sur rue

111, rue Saint-Denis, à l'angle de la rue de la Grande-Truanderie, 1er, milieu du XVIe (?).

Au milieu du XVIe siècle, l'architecte italien Sebastiano Serlio opposait vers 1550 les maisons à pignon sur rue, "à la mode de France", et les maisons à mur gouttereau et corniche, "à la manière italienne", forme qui ne s'impose à Paris qu'à la fin du siècle. Les maisons parisiennes du XVIe siècle se reconnaissent donc (ou se reconnaissaient) à leur pignon, que beaucoup ont perdu lors de surélévations.

Sous les enduits de plâtre, on peut trouver aussi bien des murs de moellon que des pans de bois, qui ont dû être primitivement apparents avant d'être enduits pour limiter les risques d'incendie, selon la recommandation de l'édit royal de 1607.

Les percements sont établis en fonction de la distribution intérieure plutôt que de la régularité extérieure de la façade. Coexistent ici croisées et demi-croisées, ces dernières ne disparaissant progressivement que dans la première moitié du XVIIe siècle. Les allèges ont souvent été abaissés ultérieurement pour faire place à de plus élégants garde-corps de fer forgé, dont l'usage se répand pour les maisons ordinaires à partir de la fin du XVIIe.

VOIR AUSSI *3, rue Bailleul, 1er • 174-176, rue Saint-Denis, 2e • 82, rue de l'Hôtel-de-Ville, 4e • 31-33, 39, rue Galande, 5e (voir p. 72) : seule la première maison a conservé sa ferme en bois débordante.*

111, rue Saint-Denis, 1er.

Brique et pierre au temps d'Henri IV

8, place des Vosges (ancienne place Royale), 4ᵉ, 1606-1607.

Apparue à Paris dès le XVᵉ siècle (hôtel de la famille Cœur, 42, rue des Archives, 4ᵉ, fin XVᵉ), l'architecture brique et pierre triomphe sur les places royales au temps d'Henri IV. Néanmoins, son emploi pour les maisons bourgeoises isolées reste marginal, bien qu'Henri Sauval y voie la raison de la désaffection pour ce style, vers 1640, dans les hôtels aristocratiques.

Les maisons de la place des Vosges étaient destinées à une clientèle de marchands drapiers, comme celles de la place Dauphine à des orfèvres et autres boutiquiers ; mais l'espace urbain est si agréable qu'il attire une population plus

8, place des Vosges, 4ᵉ.

relevée, comme en témoigne la comédie de Pierre Corneille, *La Place Royale*, en 1634. Souvent doublées et agrandies vers l'arrière, les maisons deviennent des hôtels, qui ont la caractéristique nouvelle d'avoir leur corps principal sur la place. S'esquisse ainsi l'hybridation entre le type de la maison bourgeoise et celui de l'hôtel aristocratique, qui conduit à l'invention de l'immeuble moderne.

L'ordonnance de cette maison, comme celle de toutes les maisons uniformes de la place, à chaînes de pierre harpées bordant les travées de fenêtres superposées et se détachant sur les trumeaux de brique, se voyait déjà au palais abbatial de Saint-Germain-des-Prés, rue de l'Abbaye, en 1586 ; elle connaîtra un extraordinaire regain à la fin du XIXᵉ siècle.

VOIR AUSSI *Place Dauphine, 1ᵉʳ, 1605-1610 : seules les deux maisons, très restaurées, ouvrant sur le Pont-Neuf, montrent encore le gabarit primitif ; le rythme des rez-de-chaussée (porte centrale entre deux arcades de boutiques entresolées desservant deux maisons symétriques) est encore lisible sur d'autres maisons dénaturées par des surélévations, notamment, 41, quai de l'Horloge, 15 et 19, place Dauphine) ; le 10 est un pastiche signé Dubard et Gaillardbois, 1931.*

À la manière de Le Muet

97, rue Saint-Honoré, 1ᵉʳ, vers 1650-55 (modifiée vers 1710).

En 1623, Pierre Le Muet publie *Manière de bâtir pour toutes sortes de personnes*, un recueil de modèles de maisons et de petits hôtels, réédité en 1647 et 1663. Son ouvrage marque l'abandon de la maison à pignon sur rue (sauf pour un modèle à pan de bois) au profit du type plus moderne à mur gouttereau sur rue. Les façades jouent sur le rythme vertical des travées de fenêtres, recoupées de cordons horizontaux simples (soit au niveau des planchers, soit au niveau des fenêtres) ou doubles (à ces deux niveaux), créant un puissant quadrillage constructif et formel. La scansion verticale peut être très marquée, lorsque les baies sont bordées de chaînes de pierre harpées (voir p. 71), ou plus discrète, lorsqu'elle résulte seulement de la superposition de leurs encadrements, comme dans cette maison visible dans l'axe de la rue Vauvilliers, qui appartint en 1700 au chirurgien du roi, Félix.

Avec ses deux boutiques encadrant une porte piétonne, cette maison de quatre étages est typique des rues marchandes de la ville. Les quatre travées verticales de fenêtres entourées d'un bandeau plat relié aux allèges en saillie, sont recoupées par un jeu de doubles cordons horizontaux. Cette façade rappelle plusieurs planches de la *Manière de bâtir*, mais, comme ces modèles serrent de près les usages vernaculaires, il

97, rue Saint-Honoré, 1er.

ner une ordonnance uniforme aux maisons de la rue Dauphine échoua. L'unité architecturale de ce vieux Paris résulte de la stabilité des usages constructifs plus que de choix délibérés.

Cette belle construction de pierre est typique de la sobriété des maisons du siècle de Louis XIII : grandes fenêtres rectangulaires bordées d'un chambranle plat ou découpées dans le nu d'un mur orné de simples bandeaux horizontaux.

VOIR AUSSI *Dans le quartier de l'université : 13-15, rue Male- branche et 12-14, rue Royer-Col- lard, 5ᵉ, après 1619 ; 6-8 et 12, rue Saint-Victor, 5ᵉ ; 3-7, rue Bernard- Palissy, 6ᵉ ; 12-18 et 22-24, rue de l'Échaudé, 6ᵉ • Dans la "ville" : 19- 29, quai de l'Horloge, 1580-1611, et 26-30, rue de la Grande-Truande- rie, 1ᵉʳ ; 18-22 et 26, rue Blondel, 2ᵉ • Au Marais : 31, rue de Poitou, 3ᵉ, vers 1618 ; 13, rue des Barres, 4ᵉ, 1626 • Dans l'île Saint-Louis : 9-13, rue Saint-Louis-en-l'Île, 4ᵉ.*

12, rue des Bernardins, 5ᵉ.

est difficile de conclure à une ins- piration directe.

Comme le montre la coupe nette dans le ressaut de l'allège, les appuis ont été abaissés pour faire place vers 1710 à des garde-corps de ferronnerie dont le dessin se simplifie d'étage en étage, comme on peut l'observer le plus souvent.

Simplicité vernaculaire

12, rue des Bernardins, 5ᵉ, pour Marie Dupuis, veuve du maître maçon Jean Thiéry, 1631.

La volonté royale, exprimée par Sully et Philippe de Béthune, de donner aux rues de Paris plus de régularité put rarement être imposée : la tentative de don-

Au temps de Louis XIV (1651-1715)
Belle sobriété ou "grand style" ?

"Il faut observer que les ordres d'architecture ne conviennent pas à tous les édifices, car il faut pour les mettre en œuvre de l'étendue, de la hauteur et de la distance. C'est pourquoi il est ridicule de voir la façade d'une maison de bourgeois dans une médiocre rue décorée de grands pilastres qui embrassent deux étages, puisqu'on peut enrichir une façade fort à propos sans se servir d'un ordre."
Charles Augustin d'Aviler, *Cours d'architecture*, Paris, 1691.

Paris atteint sans doute, en 1651, à la majorité de Louis XIV, le demi-million d'habitants, chiffre qui se stabilise avec l'installation permanente de la cour à Versailles en 1682. Mais l'enrichissement des marchands et des officiers favorise les reconstructions sur place, tandis que les communautés religieuses lotissent le pourtour de leurs enclos pour s'assurer des revenus réguliers. Après le grand incendie de Londres en 1666, l'interdiction de bâtir en pan de bois est renouvelée en 1667 ; la couleur dominante de Paris reste le blanc du plâtre et de la pierre, qui a tendance à noircir avec le temps, comme on l'observe déjà.

La création de nouvelles places royales pour célébrer les victoires de Louis le Grand et l'apparition de boulevards plantés, ceinture verte qui se substitue à l'enceinte que l'on commence à démanteler, ont des conséquences à long terme pour l'histoire des immeubles parisiens : sur la place des Victoires et la place Louis-le-Grand (aujourd'hui place Vendôme) triomphe l'ordonnance typique du "grand style", qui sera le canevas de base de l'immeuble haussmannien (rez-de-chaussée et en-

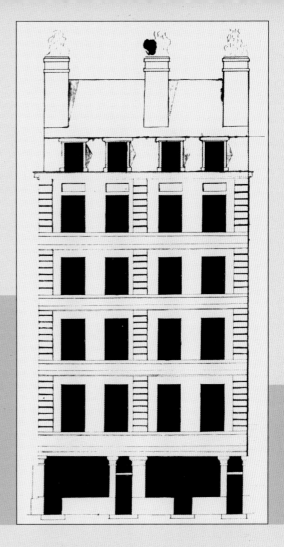

Maison à l'enseigne du Boisseau royal, rue des Poulies (actuelles rues de l'Amiral-de-Coligny et du Louvre), 1ᵉʳ, par Charles Riberpré, 1679.

tresol à bossages et refends, grand ordre de pilastres embrassant premier étage et attique) ; le boulevard, projeté en 1670-1675 par François Blondel et Pierre Bullet, tout autour de Paris, qui est réalisé d'abord sur la rive droite (nos Grands Boulevards actuels), fixe l'espace urbain où s'épanouira l'immeuble parisien du XIXᵉ siècle. Si les maisons modestes sont simples par nature, le style sobre, voire sévère, est délibérément choisi, dans le dernier tiers du XVIIᵉ siècle, même pour les plus belles : "On n'avait pas encore, écrit encore François Blondel en 1673, les yeux accoutumés à cette beauté naturelle et simple de la belle architecture, qui contente par la seule symétrie ou juste rapport des parties les unes avec les autres et à leur tout, et par le mélange correct des ornements propres et mis à propos."[1] Cette élégante sobriété tient à la qualité de l'appareil de pierre, enrichi de quelques discrets ornements (refends, plinthes et chambranles moulurés, mascarons et balcons de fer forgé). Les ordonnances à double cordon tendent à disparaître et les chaînes harpées font place à des chaînes de refends formant pilastres.

1. Louis Savot, *L'Architecture française des bâtiments particuliers, avec des notes de François Blondel*, Paris, 1673.

Au temps de Louis XIV (1651-1715)
Belle sobriété ou "grand style" ?

Traits et motifs distinctifs

Chaîne de pierre à refends formant pilastre aux angles (et parfois de part et d'autre de la travée ou des travées axiales) : 91, rue de la Verrerie, à l'angle de la rue Saint-Bon, 4e, fin XVIIe.

Mur en pierre de taille ou en moellon enduit, nu (photo) ou parfois orné de tables décoratives : 91, rue Quincampoix, 4e, vers 1660.

Détail de la signature et de la date sur la porte
du 12, rue de Sévigné, 4ᵉ.

**Grande fenêtre rectangulaire, bordée
d'un chambranle en bandeau plat,** à allège basse
et garde-corps de fer forgé : 15, rue du Roule, 1ᵉʳ,
par Jean-Baptiste Prédot, 1691.

Portail de menuiserie à panneaux unifiés :
12, rue de Sévigné, 4ᵉ, signé et daté 1695.

2-14, rue de la Ferronnerie, 1er.

"Grands ensembles" religieux

2-14, rue de la Ferronnerie, 1er, par le maçon Frémin Quénehan pour le chapitre de Saint-Germain-l'Auxerrois, 1669-1678.

Pour s'assurer des revenus réguliers, les communautés religieuses bâtissent souvent, sur le pourtour de leur enclos ou sur les terrains qui leur sont légués, des maisons de rapport. Beaucoup ont disparu (rue Eginhard, 4e, pour les dames religieuses Sainte-Anastase, en 1666-67). L'ensemble de la rue de la Ferronnerie est exceptionnel par l'unité architecturale qui lui est donnée. En 1669, dans le cadre du plan d'embellissement de Paris, la rue de la Ferronnerie est élargie et sa rive nord est rebâtie par le chapitre de Saint-Germain-l'Auxerrois, selon un dessin homogène de vingt-quatre maisons à loyer avec boutique au rez-de-chaussée, laissant à chaque extrémité des passages vers le cimetière des Saints-Innocents qui se trouvait derrière. Des bandes de refends scandent régulièrement la longue façade de pierre de taille couronnée d'un grand fronton axial (dépourvu du décor initialement prévu) et couverte d'une toiture unifiée à comble brisé.

VOIR AUSSI *271-275 et 281-285, rue Saint-Jacques, 5e, 1698 et 1702 : maisons de rapport du couvent des Bénédictines de l'abbaye du Val-de-Grâce • 214-218, boulevard Saint-Germain, 7e, par Pierre Bullet pour le noviciat des Jacobins, 1682.*

, rue de Savoie, 6ᵉ.

Lotissements spéculatifs

15-19, rue de Savoie, 6ᵉ, lotissement de l'hôtel de Nemours, par le maître maçon Simon Delespine et ses associés, 1672.

Les lotissements sont l'occasion de bâtir des ensembles homogènes dont la sobre régularité est la principale qualité. L'activité d'une dynastie d'entrepreneurs, les Delespine, bien étudiée, fixe quelques repères. En 1670, Simon Delespine et ses associés achètent à Marie-Jeanne de Savoie l'ancien hôtel de Nemours. Ils lotissent le vaste terrain en traçant une rue neuve, de part et d'autre de laquelle ils bâtissent. Les portes cochères encadrées de bossages en table à refends et les bandes de refends verticales identifient les différentes maisons, mais l'alternance régulière des baies et des trumeaux, les bandeaux marquant les étages et

la corniche couronnée de grandes lucarnes de pierre assurent l'unité de la rive nord de la rue.

VOIR AUSSI *6-10, rue de Thorigny, 3ᵉ, par Libéral Bruand, 1659-1660 : immeubles à usage locatif bâtis pour Claude Gueston, derrière lesquels se trouvait un hôtel qui fut loué à madame de Sévigné • 11, 14, 27-29, 36 et 40, rue de La Sourdière, 1ᵉʳ, par Simon Delespine, 1661-1662, sur le terrain de l'hôtel de La Sourdière, de part et d'autre d'une rue nouvelle ouvrant sur la rue Saint-Honoré • 9 et 13-19, rue Champollion (ancienne rue des Maçons), 5ᵉ, par Jacques Curabelle, 1667-1670 : maisons locatives bâties pour les Messieurs de la Sorbonne • 5-7, rue Champollion : autres maisons locatives bâties sur le terrain de l'hôtel d'Harcourt • 3-15, 19, 14-20, rue du Roule, 1ᵉʳ, par Jean-Baptiste Prédot, 1689-1696, ensemble uniforme scandé de bandes de refends toutes les quatre travées.*

La maison à rez-de-chaussée à arcades

25-31, rue du Bourg-Tibourg, 4ᵉ, par Antoine Broutel du Val, 1665.

Cet ensemble de quatre maisons à usage locatif fut bâti pour madame de Nicolaï. Le rez-de-chaussée à arcades embrassant un entresol, traité comme un soubassement avec un décor de refends, trouve son origine lointaine dans les palais italiens de la Renaissance. Avec ou sans boutiques dans les arcades, avec ou sans entresol, avec des étages supérieurs plus ou moins ornés, avec ou sans accent plastique central (portail, balcon, léger avant-corps), ce type perdure jusqu'aux derniers rebondissements de la tradition classique au début du XXᵉ siècle.

25-31, rue du Bourg-Tibourg, 4ᵉ.

Le style sévère

47, rue des Petits-Champs, 1ᵉʳ, par Jean-Baptiste Prédot sur les dessins de Daniel Gittard, 1670.

Cette maison de rapport, mitoyenne de la grande maison d'angle (bâties l'une et l'autre par Prédot pour Jean-Baptiste Lulli), illustre bien le style sévère, promu par François Blondel et Pierre Bullet à l'Académie royale d'architecture. Son élégance ne repose que sur la qualité de l'appareil de pierre dans lequel se découpent de grandes fenêtres rectangulaires, souvent sans chambranle, sur un seul cours de cordon.

VOIR AUSSI *46, rue Sainte-Anne, 2ᵉ (Bossuet est mort dans cette maison en 1704) • 57, rue Sainte-Anne, 2ᵉ, par Alexandre Delespine, 1668.*

Place des Victoires, 2ᵉ (détail).

Le "grand style"

Place des Victoires, 2ᵉ, par Jean-Baptiste Prédot, sur les dessins de Jules Hardouin-Mansart, 1685.

Au début du XVIᵉ siècle, développant une idée de Bramante, Sanmicheli à Vérone, Palladio à Vicence et bien d'autres avaient composé de multiples variantes d'une ordonnance de façade de palais où, sur un rez-de-chaussée entresolé orné de bossages ou creusé de refends, s'élevaient deux étages scandés par des pilastres ou des colonnes d'ordre colossal (embrassant deux registres ou plus). En France, cette ordonnance est l'expression même du "grand style".

Les maisons uniformes qui bordent la place des Victoires font événement et sont le lointain prototype des immeubles de première classe du Paris d'Haussmann.

La place Vendôme (1699-1708), dont l'ordonnance relève du

Place des Victoires, 2ᵉ.

même style, est bordée de grands hôtels particuliers possédant de vastes dépendances sur l'arrière.

VOIR AUSSI *7, rue du Mail, 2ᵉ, par Thomas Gobert, 1669 (modifiée en 1854) • 7, rue Valette, 5ᵉ, pour l'imprimeur Frédéric Léonard, 1673.*

47, rue des Petits-Champs, 1ᵉʳ.

Une élégante simplicité égayée par la ferronnerie

23, rue Danielle-Casanova 1er, entre 1701 et 1711.

Entre le style sévère et le "grand style", un classicisme égayé, plus élégant, se fait jour à la fin du règne de Louis XIV. Avec son bel appareil de pierre de taille, ses fenêtres simples et son balcon de ferronnerie soutenu par deux mascarons formant console sur la travée axiale, la façade est typique de cette élégante simplicité. Les balcons de ferronnerie apparaissent d'abord dans les châteaux et les hôtels au temps de Louis XIII, comme sur les maisons de la place Royale où, pour jouir des spectacles organisés sur le terre-plein central, on ajoute des balcons et les premières portes-fenêtres à partir des années 1640-1650. Garde-corps, balconnets et balcons de serrurerie commencent à aussi apparaître sur les façades des plus belles maisons bourgeoises

91, rue de la Verrerie, 4e.

à la fin du XVIIe siècle. À l'usage, ces appuis et ces balcons, qui laissent entrer la lumière à l'intérieur des maisons, tout en ornant la façade, plaisent tant que beaucoup de façades plus anciennes sont reprises sous Louis XV et Louis XVI : les allèges primitives sont abaissées pour faire place à ces élégants garde-corps de fer forgé, comme on le voit rue du Roule (voir pp. 77 et 81).

VOIR AUSSI *54, rue Saint-Honoré, à l'angle de la rue des Prouvaires, 1er, pour le maître drapier Boucher, 1715 : grand balcon de fer forgé courant à l'angle, au premier étage, sur huit travées • 91, rue de la Verrerie, à l'angle de la rue Saint-Bon, 4e.*

23, rue Danielle-Casanova 1er.

Au temps de Louis le Bien-Aimé (1715-1763)
Décor rocaille et ferronneries égayées

"Ces ornements sont passés des décorations intérieures des maisons et des ouvrages en bois, auxquels un travail plus délicat peut convenir, aux ouvrages extérieurs et en pierre, qui exigent un travail plus moelleux et plus mâle. La mode les a poussés si avant dans le monde qu'on pourrait conjecturer sur sa variation qu'ils ne dureront pas longtemps."

Germain Boffrand, *Livre d'architecture*, Paris, 1745.

Ni la mort de Louis XIV en 1715, ni celle de Louis XV en 1774, soixante ans plus tard, ne correspond à de fortes articulations de l'histoire de la construction parisienne. Au début du XVIIIe siècle, celle-ci reprend vivement : grands hôtels, dans les faubourgs Saint-Germain et Saint-Honoré ; maisons bourgeoises, reconstruites en cœur de ville, dont beaucoup sont des maisons de rapport louées par leurs propriétaires – congrégations religieuses, nobles de robe, marchands, entrepreneurs et architectes. Si le style sévère persiste, pointe un goût nouveau pour une architecture égayée par des balcons de ferronnerie et des ornements sculptés dans la pierre, dont le répertoire se libère peu à peu pour s'épanouir vers 1720-1730 dans ce style "moderne" qu'on nomme "rococo" ou "rocaille" à Paris. À l'autre extrémité de cette période, après le ralentissement de la construction liée à la guerre de Sept Ans (1756-1763), le retour à un classicisme tempéré et les premières manifestations du style néogrec, qui rompent avec le rococo moderne, préparent le triomphe, dans les années 1770, d'un goût nouveau, plus varié que le mot de "néoclassicisme" ne le laisse penser. Le recueil de modèles de maisons publié par Gilles Tiercelet en

Maison de rapport, 4, rue
des Grands-Degrés, 5ᵉ. Dessin
original de l'architecte Barthélemy
Bourdet, pour lui-même, 1743.

1728, qui actualise la *Manière de bâtir* de Le Muet, devenue désuète, illustre bien la gamme progressive des ordonnances de façade des maisons particulières : arcades à refends, bandes de refends sur les côtés, autour de la travée médiane, ou à la fois autour de la travée médiane et aux angles, fenêtres à linteaux cintrés et allèges basses sous les beaux appuis de fer forgé, dont les arabesques se libèrent.

Au cours de ces années heureuses, on préfère souvent la pierre de taille, soigneusement appareillée, au moellon enduit. Les trumeaux se réduisent pour laisser entrer plus largement la lumière ; les fenêtres du premier étage, aux formes plus variées, s'ouvrent en portes-fenêtres sur des balcons juxtaposés ou filant sur tout le premier étage. Le goût pour le mur nu demeure, mais on se plaît à enrichir les belles maisons d'ornements choisis, mascarons, cartels et consoles, issus du répertoire classique, puis traités plus librement selon l'esthétique moderne, dite "rocaille". Le dessin des garde-corps de fines ferronneries, se détachant en noir sur la pierre blonde, se simplifie généralement du premier étage, où le chiffre du propriétaire se mêle souvent aux arabesques décoratives, jusqu'aux simples barres d'appui de l'attique.

Au temps de Louis le Bien-Aimé (1715-1763)
Décor rocaille et ferronneries égayées

Traits et motifs distinctifs

Fenêtre en plein cintre (parfois encore rectangulaire, le plus souvent à linteau cintré, variété dont on joue pour hiérarchiser les étages ou les travées) : 115, rue Saint-Honoré, 1er, vers 1720.

Porte de menuiserie à panneaux et ornements rocaille : 4, rue Royer-Collard, 5e, par le maître maçon René Baudoin, 1734.

Ornements sculptés, cuirs et coquilles rocaille :
147, rue Saint-Martin, 4ᵉ, vers 1730.

Refends en bandes verticales aux angles pour encadrer l'immeuble, parfois au centre pour esquisser un avant-corps (photo) : 14, rue Saint-Victor, 5ᵉ, par le couvreur Jacques Auvray, 1714.

Balcon de fer forgé à entrelacs : 35, rue Saint-Honoré, 1ᵉʳ, début XVIIIᵉ pour l'architecture, vers 1730 pour les ferronneries.

Le style sobre

2, rue de la Verrerie, 4e, sur les dessins de l'architecte François Blondel (oncle de Jacques-François Blondel), par le maître maçon Jean Fauvel, 1728.

Bâtie pour la fabrique de l'église Saint-Jean-en-Grève, cette maison à loyer, de sept travées, présente un rez-de-chaussée de boutiques et trois étages carrés, séparés par de sobres bandeaux. Les trumeaux étroits et les fenêtres cintrées, à allèges basses, sans chambranle, sont caractéristiques du règne de Louis XV. La sobriété de toute l'ordonnance, à peine relevée par les élégants garde-corps de fer forgé, illustre la permanence du goût sévère en pleine époque rocaille.

VOIR AUSSI *61, quai de la Tournelle, 5e, par François Blondel pour Paul Maillard de Ballore, conseiller au Parlement de Paris,*

17, rue des Barres, 4e.

1731 : Blondel répète, sur cinq travées seulement, l'ordonnance du 2, rue de la Verrerie • 76, rue de la Verrerie, 4e, par François Blondel, 1731 : des angelots en haut-relief, juchés sur la fenêtre axiale, marquent l'entrée latérale de l'église Saint-Merri • 16, rue Cloche-Perce à l'angle de la rue du Roi-de-Sicile, 4e, pour l'Hôtel-Dieu, 1736-1737 • 12, rue Rollin, 5e, par l'architecte Le Tordeur pour les Pères de la Doctrine chrétienne, 1740 • 4, rue des Grands-Degrés, 5e, par l'architecte Barthélemy Bourdet pour lui-même, 1743 (voir p. 87) : l'ordonnance s'enrichit seulement de chambranles plats autour des fenêtres • 21, rue Saint-Denis, 1er, première moitié du XVIIIe : à l'angle de la rue Courtalon, une étroite maison de quatre étages, à chambranles plats et clef saillante, sans autre ornement que les appuis de fer forgé.

Maison à boutiques

17, rue des Barres, 4e, sur les dessins de Jacques V Gabriel, par le maître maçon Michel Fauvel, pour la fabrique Saint-Gervais, 1737-39.

En 1737, Jacques Gabriel présente les dessins de cette belle maison à loyer, en s'inspirant étroitement de l'ordonnance donnée, deux ans plus tôt, pour la maison du notaire Camuset, 14, rue François-Miron, 4e, à l'angle de la même rue des Barres.

Au-dessus du rez-de-chaussée entresolé, où s'ouvrent deux boutiques, de part et d'autre de la porte piétonne, s'élèvent trois étages, dont la hauteur ne décroît que discrètement, trahissant la maison de rapport.

La façade de pierre, encadrée de deux chaînes de refends, est partagée en deux parties inégales : les trois travées à droite sont plus richement ornées, avec

2, rue de la Verrerie, 4e.

4-12, rue François-Miron, 4ᵉ.

leurs fenêtres à chambranle plat et leurs balcons de fer forgé, que les cinq autres travées, avec leurs fenêtres sans chambranle à simples barre d'appui, très certainement par souci de convenance au-dessus des deux boutiques du rez-de-chaussée encadrant la porte piétonne. L'extrême sobriété des modénatures, comme le dessin classique des ferronneries, témoignent de la persistance du goût sévère. Seules l'étroitesse des trumeaux et l'absence d'allèges indiquent la date plus tardive.
VOIR AUSSI *4-6, rue de la Huchette, 5ᵉ, 1729 : avec son rez-de-chaussée à arcades de boutiques embrassant l'entresol, creusées de refends, cette grande maison, bâtie à la place de deux autres, reprend l'ordonnance des maisons de la rue du Bourg-Tibourg (voir p. 83), mais les clés sont ici ornées de beaux mascarons sculptés • 4-12, rue François-Miron,*

4ᵉ, 1733-1734, par Jacques Vinage : reconstruction, pour la fabrique Saint-Gervais, de onze maisons locatives du XVᵉ siècle sur un dessin uniforme, avec une porte piétonne toutes les deux boutiques. La sobriété du dessin, sans mascarons ni chambranles, est relevée par la qualité de l'appareil de pierre et l'élégance des appuis de fer forgé, au goût discrètement rocaille • Rue Saint-Denis, à l'angle de la rue Greneta, 2ᵉ, par Jacques-Richard Cochois et Jean Beausire pour Claude Aubry, 1732.

Élégante sobriété et balcons rocaille
67, rue Saint-Jacques, 5ᵉ, maison Mariette, 1734-1735.
Cette maison est bâtie en 1734-1735 par Jean Mariette, de la célèbre famille de graveurs et marchands d'estampes, sur l'emplacement de la maison portant l'enseigne "Aux Colonnes d'Her-

cule", acquise par son père en 1651, terrain agrandi par l'achat de trois maisons voisines. Le corps sur rue, au-dessus de la boutique à arcades aujourd'hui masquée par une devanture de bois, présente deux étages à usage locatif et une surélévation postérieure. La belle sobriété de la façade de pierre de taille soigneusement appareillée, mise en valeur par les moulurations discrètes des fenêtres en défoncé et un cours de moulures à la hauteur des planchers, est enrichie par les balcons à garde-corps de ferronnerie. Leurs motifs, en aile de papillon au premier étage continu, en écu au second étage, sont les marques les plus claires du succès de l'esthétique rocaille.
VOIR AUSSI *17, rue des Lombards, 4ᵉ ; vers 1720.*

67, rue Saint-Jacques, 5ᵉ.

Ornements rocaille

*52, rue Saint-André-des-Arts
à l'angle de la rue des Grands-
Augustins, 6ᵉ, par François
Debias-Aubry, 1737.*

Les ornements rocaille, suppo-
sant l'intervention d'un sculpteur,
sont plus rares sur les maisons
bourgeoises que sur les hôtels.
Mais quelques commanditaires
cherchent précisément à trancher
sur le voisinage par la qualité des
ornements de leur demeure. Ici,
l'angle arrondi, où s'ouvre une des
arcades englobant rez-de-chaussée et entresol, est accentué
par un grand balcon à entrelacs
porté par deux consoles calées
par une tête de bélier encadrant
le mascaron axial.

52, rue Saint-André-des-Arts, 6ᵉ.

52, rue Saint-André-des-Arts, 6ᵉ (détail).

VOIR AUSSI *52, rue de l'Arbre-Sec,
1ᵉʳ, par P. Fr. Godot pour André
Eynaud, 1717-1721 : grands cartouches et clefs à têtes de bouc en alternance formant consoles sous le
balcon du premier étage au chiffre
"AE", rinceaux et coquilles à la
clef des fenêtres cintrées • 42, rue
François-Miron, 4ᵉ, maison de rapport, par l'architecte Pierre Vigné
de Vigny pour Charles Joseph Abel
de La Barre de Carroy, conseiller
à la Cour des aides, 1742 : avec
un "cartel de pierre dure portant
une tête d'Hercule avec divers
ornements" du sculpteur Philippe
Cayeux • 4, rue Royer-Collard, 5ᵉ,
par René Baudoin pour les Jacobins, 1734-1735 : reconstruction
après un incendie • 9, rue Royer-
Collard, 5ᵉ, par le maçon Charles
Grangeret pour un marchand
bourgeois, 1739 : rhabillage d'une
maison plus ancienne avec des
ornements dans le goût nouveau.*

Le rocaille exacerbé

*29, rue de la Parcheminerie, 5ᵉ,
par Martin Goupy, 1736.*

Bâtie pour Claude Dubuisson,
contrôleur au change à la Monnaie de Paris, par le maître maçon Goupy, cette maison de trois
étages sur un rez-de-chaussée à
arcades marque une pénétration
exceptionnelle des ornements
rocaille dans l'architecture bourgeoise : entrelacs de fer forgé
des appuis, mais encore clefs
des arcades du rez-de-chaussée,
profil chantourné des fenêtres
des premier et second étages,
cartouches et guirlandes qui cou-
ronnent toutes les fenêtres.

VOIR AUSSI *45, rue de la Harpe, 5ᵉ,
1741, par l'architecte François Debias-Aubry pour le notaire Nicolas
Juliennet (son chiffre "NJ" figure
sur le balcon), qui s'est ruiné en
entreprenant cette construction
trop fastueuse.*

29, rue de la Parcheminerie, 5ᵉ.

151 *bis*, rue Saint-Jacques, 5ᵉ.

La maison de rapport magnifiée

151 bis, rue Saint-Jacques, 5ᵉ, sur les dessins de Claude-Nicolas Lepas-Dubuisson, 1718-1727.

Cette grande maison de rapport, située à la hauteur de la porte Saint-Jacques détruite en 1684, fut bâtie, pour lui-même, par l'architecte Claude-Nicolas Lepas-Dubuisson, devant son petit hôtel entre cour et jardin. Elle fut achevée après 1727 pour Nicolas Lecamus et son épouse Geneviève Carbonnet, dont les chiffres NC/GC ornent le balcon axial. L'ordonnance, très proche d'un modèle publié en 1728 par Tiercelet, rappelle le grand hôtel de Beauvais (1656-1660) : arcades de boutiques entresolées de part et d'autre de la grande porte cochère couronnée d'un balcon saillant ; mais, à l'hôtel de Beauvais, les boutiques s'inscrivent sous l'hôtel sur rue, tandis qu'ici la porte cochère conduit à l'hôtel, bâti en fond de parcelle. L'égalité des pleins et des vides et les grandes fenêtres à sobre chambranle plat s'inscrivent dans

la continuité du goût du grand siècle, mais le dessin ondulé du balcon et la ferronnerie aux légers entrelacs illustrent le succès du goût rocaille.

VOIR AUSSI *56, rue des Francs-Bourgeois, 4ᵉ, maison Claustrier, par Jacques Hardouin-Mansart, 1752 : grande maison de rapport masquant l'hôtel de Fontenay bâti en cœur d'îlot en 1733.*

12, rue de Jouy, 4ᵉ.

Une typologie ambiguë : l'hôtel mixte

12, rue de Jouy, 4ᵉ, par et pour Jean-François Desmaisons, 1743.

Maison construite par Jean-François Desmaisons pour lui-même, les étages devant être loués. Cette typologie mixte explique la forte accentuation centrale : porte cochère couronnée par un mascaron représentant Hercule, avant-corps central de deux travées encadré de refends avec balcons au chiffre "JFD" de l'architecte propriétaire.

VOIR AUSSI *15, rue Montorgueil, 2ᵉ, maison Robillard, par Martin Goupy, 1729 : façade de cinq travées de fenêtres cintrées à ferronnerie rocaille, scandée par des bandes de refends • 27, rue Saint-André-des-Arts, 6ᵉ, maison Simonnet, par Claude-Louis Daviler, 1754 : même ordonnance générale que la maison Robillard avec une travée axiale plus marquée par des fenêtres en plein cintre.*

Réaction classique et goût néogrec

9, rue du Faubourg-Poissonnière, 9ᵉ, sur les dessins de Louis-François Trouard, 1759.

Le retournement de goût, qui conduit à des lignes plus sobres, "plus mâles", intervient vers 1755. Il prend diverses formes : retour au grand style sévère de Louis XIV, ou "style à la grecque", première phase du néoclassicisme, qui s'épanouira avec la reprise du bâtiment consécutive à la signature du traité de Paris en 1763.

VOIR AUSSI *12, rue de la Lune, 2ᵉ, vers 1760.*

9, rue du Faubourg-Poissonnière, 9ᵉ.

Au temps des lumières (1763-1792)
Du classicisme bien tempéré au néoclassicisme

"Des corps de logis immenses sortent
de terre comme par enchantement
et des quartiers nouveaux sont composés
d'hôtels de la plus grande munificence.
(…) Les spéculateurs ont appelé
les entrepreneurs, qui, le plan dans
une main, le devis dans l'autre,
ont échauffé l'esprit des capitalistes."
Louis-Sébastien Mercier, *Tableau de Paris*, Paris, 1789.

Ralentie par la guerre de Sept Ans, la construction parisienne reprend après 1763. Les faubourgs s'étendent, du faubourg Saint-Honoré au village du Roule, du faubourg Saint-Germain au Gros Caillou entre les Invalides et le Champ-de-Mars, et encore au faubourg Poissonnière vers Montmartre. Au centre, le renouvellement du bâti se poursuit, parcelle par parcelle, et les grandes opérations se multiplient : lotissements de l'hôtel de Soissons autour de la halle au blé (1763-1769), de l'hôtel de Condé autour du nouveau Théâtre-Français, aujourd'hui Théâtre de l'Odéon (1779-1783), de l'hôtel de Choiseul autour du Théâtre Italien, aujourd'hui Opéra-Comique (1781), du prieuré de Sainte-Catherine-du-Val-des-Écoliers (1778-1790). À la veille de la Révolution, Louis-Sébastien Mercier estime qu'un tiers de la ville s'est bâti depuis trente ans. Un arrêt du 18 août 1766 favorise le mouvement en protégeant les investisseurs : après dépôt du projet auprès de la chambre des bâtiments, bailleurs de fonds, entrepreneurs et architecte peuvent se saisir d'un immeuble en construction en cas de faillite du propriétaire. Mais la chambre des bâtiments et le maître des bâtiments de la ville – l'architecte Moreau-Desproux de 1763 à 1787 – exercent un contrôle technique de plus en plus étroit. L'ordonnance royale du 10 avril 1783 fixe de nouvelles règles de gabarit : "Comme nous avons reconnu que l'excessive élévation des bâtiments n'est

Edmé Blondel, élévation
de la façade, 20, rue
de Saintonge, 3ᵉ, 1779.

pas moins préjudiciable à la salubrité de l'air dans une
ville aussi étendue et aussi peuplée qu'elle est contraire
à la santé des habitants, surtout en cas d'incendie,
nous avons cru devoir aussi expliquer à cet égard nos
intentions (...)."

L'époque est marquée par l'affirmation du nouveau
type de l'immeuble de rapport, qui se distingue de
la maison bourgeoise antérieure par sa plus grande
largeur. Le rez-de-chaussée continue d'abriter des boutiques, surmontées généralement d'un entresol ser-
vant au logement des boutiquiers si le quartier s'y prête
; au-dessus, se superposent des appartements horizontaux de hauteur décroissante. Le premier étage,
comme dans les hôtels particuliers, est parfois réservé

au propriétaire, à moins qu'il ne continue de bâtir à
l'arrière son hôtel particulier.

D'un point de vue formel, l'expression usuelle "style
Louis XVI" est plus commode que précise : le goût
néogrec apparaît dès les années 1760 et la rupture
néoclassique s'opère vers 1770. Le tournant se manifeste sans ambiguïté sur les façades des immeubles
parisiens par l'affirmation du nu des murs, le retour
à des fenêtres rectangulaires, plus trapues qu'au XVIIᵉ
siècle, des motifs plus fermes et plus réguliers (consoles
cubiques, corniches à gros modillons, ferronneries à
dessin géométrique), et une iconographie mâle (do-
rique) ou égayée (ionique), mais toujours à l'antique.

Au temps des lumières (1763-1792)
Du classicisme bien tempéré
au néoclassicisme

Traits et motifs distinctifs

Corniche saillante à gros modillons, aux ombres accentuées : 50, rue Dauphine, 6ᵉ.

Affirmation du mur nu, souligné souvent par de fins refends horizontaux : place du Palais-Bourbon, 7ᵉ, 1787.

Retour à la fenêtre rectangulaire moins haute, à balustres de pierre : 137, rue Vieille-du-Temple, 3ᵉ.

Balcon à balustre de pierre ou garde-corps de fer forgé : 2, rue Grétry, 2ᵉ.

Table à bas-relief antiquisant : 50, rue Dauphine, 6ᵉ.

Garde-corps de fer forgé à dessin géométrique : 79, rue Saint-Denis, 1ᵉʳ.

1, place de l'Estrapade, 5ᵉ.

Un classicisme tempéré

1, place de l'Estrapade, 5ᵉ,
par Sylvain Moreau, 1775-1776.
Immeuble de rapport bâti à l'emplacement d'un jeu de paume par le maître charpentier Sylvain Moreau. Sur le rez-de-chaussée et l'entresol creusés de refends s'élèvent trois étages de hauteur décroissante, séparés du quatrième étage, traité en attique, par un simple bandeau plat. Avec ses tables en saillie et ses consoles en volute, cet immeuble relève d'un retour à un classicisme tempéré, mais la typologie du nouvel immeuble de rapport est ici clairement affirmée.
VOIR AUSSI *13, quai de la Tournelle, 5ᵉ, 1774-1775 : proche de la*

typologie de la maison bourgeoise, avec ses arcades de boutiques et ses trois étages carrés. Si les ferronneries s'inscrivent dans le nouveau goût grec, la corniche élégante du premier étage et le linteau cintré des fenêtres relèvent du retour au classicisme tempéré du grand siècle après les fantaisies rocaille de la génération précédente.

13, quai de la Tournelle, 5ᵉ.

4, rue de Tournon, 6ᵉ (détail).

Naissance l'immeuble de rapport

2-4, rue de Tournon, 6ᵉ,
par Louis-Pierre Lemonnier, 1780.
Après le n° 12, par Charles Neveu en 1777, ces immeubles de la rue de Tournon marquent le succès du nouveau type d'immeuble locatif de style néoclassique : fenêtre sans chambranle à console triglyphée et garde-corps de fer forgé au dessin épuré se découpant sur le mur lisse et nu, au-dessus d'un rez-de-chaussée, souvent entresolé, à puissants refends, avec un dernier étage attique détaché au-dessus d'une corniche saillante ou intégré à une large corniche.
VOIR AUSSI *61, rue Dauphine, 6ᵉ, immeuble Chopin d'Arnouville par Pierre Desmaisons, 1769 • 58, rue Dauphine, immeuble Montholon, 1771 • 19, rue Montorgueil, 1ᵉʳ, maison Gobin par Trefeuille, 1776 • 24, rue Saint-Séverin, 5ᵉ, 1768 • 9, rue Frédéric-Sauton, 5ᵉ,*

2-4, rue de Tournon, 6ᵉ.

62, rue René-Boulanger, 10ᵉ (détail).

par Jean-Baptiste Boulland pour la confrérie de Notre-Dame-aux-Bourgeois, 1776 (élévation originale publiée dans Gady, 1998, p. 74) • 26-28, rue des Bernardins, 5ᵉ, pour Jérôme Deffaut, maître couvreur, 1780 (dessin original publié dans Gady, 1998, p. 95).

Les façades à refends

62, rue René-Boulanger (ancienne rue de Bondy), 10ᵉ, par Nicolas-Claude Girardin, 1778-1782.
La formule qui a le plus de succès, parce qu'elle est en accord avec le goût pour une architecture mâle, est la façade striée de refends horizontaux, qui affirme la matérialité du mur. Ces refends peuvent n'apparaître qu'au rez-de-chaussée – formule déjà employée au XVIIᵉ siècle –, mais on joue plus souvent sur le contraste entre des refends fortement creusés au rez-de-chaussée (et à l'entresol, lorsqu'il existe) et des refends plus fins aux étages supérieurs, qui paraissent ainsi reposer sur un socle puissant.

62, rue René-Boulanger, 10ᵉ.

VOIR AUSSI *7-9, rue Bonaparte, 6ᵉ, par Jean-Louis Blève pour Doublet de Persan, 1772 : immeuble sur rue avec rez-de-chaussée et entresol à refends formant socle et façade lisse au-dessus, masquant des hôtels sur l'arrière • 12, rue de Tournon, par et pour Charles Neveu, 1776.*

L'immeuble à avant-corps

16, rue Debelleyme, 3ᵉ, par Robert-Eustache Devillers, 1775-1780.
L'axe central est parfois signalé par un balcon et des fenêtres à corniche ou fronton au bel étage, parfois par un avant-corps de plusieurs travées. La façade de cet immeuble bâti pour Henry-Louis Frédy, conseiller au Parlement de Paris, comprend six travées : les deux centrales, encadrées de chaînes de refends, font avant-corps. Un balcon de pierre et quatre bas-reliefs au premier étage, issus du même moule que ceux de la maison Gérard, renforcent l'articulation, trace de la typologie de l'hôtel particulier dans ce petit immeuble sans

16, rue Debelleyme, 3ᵉ.

doute à fonction mixte : hôtel du conseiller et de sa famille au premier étage, appartements loués au-dessus.

VOIR AUSSI 20, rue de Saintonge, 3ᵉ, par le maçon Edmé Blondel pour lui-même pour être loué, 1779-1780 : avant-corps de trois travées sur cinq couronné par un fronton (dessin original reproduit dans Gady, 2004, p. 272).

Retour au "grand style"

1, rue du Mail, 2ᵉ, sur les dessins de Pierre Desmaisons, 1770.
Cette ordonnance à ordre colossal, qui rappelle la composition voisine du n° 7 (mais ici, l'ordre colossal embrasse trois étages ; voir p. 84), marque un retour au "grand style" Louis XIV, recours contre le style moderne rococo avant que ne s'affirme un style plus mâle, le style néoclassique au sens strict.

VOIR AUSSI 17, boulevard du Temple, 3ᵉ, par Samson-Nicolas Lenoir dit le Romain, 1778-1780 : beau portail à colonnes toscanes • 4, rue de Caumartin, 9ᵉ, par André Aubert, 1780 : rez-de-chaussée formant socle à grands refends horizontaux, deux étages carrés et attique à refends fins, avant-corps de trois travées avec porte cochère au rez-de-chaussée, ordre colossal ionique et bas-reliefs sur le plein de travée entre le premier et le second étage.

La poésie des tables sculptées

137, rue Vieille-du-Temple, 3ᵉ, par Jean-Louis Blève, 1777-1778.
Construit à la place de quatre maisons plus anciennes pour Pierre Guérard, commissaire des guerres, sur un dessin de Jean-Louis Blève (reproduit dans Gallet, 1964, ill. 44), cet immeuble de rapport en pierre de taille est

137, rue Vieille-du-Temple, 3ᵉ.

caractéristique du style néoclassique élégant : rez-de-chaussée et entresol à puissants refends horizontaux, appuis de fenêtre à gros balustres de pierre, mur lisse et fenêtres à élégants chambranles sur l'avant-corps, bas-reliefs en plâtre moulé sur le plein de travée : la Vue, l'Ouïe, le Goût, l'Odorat et le Toucher, répétés deux fois. Le bas-relief en façade, sans doute en partie inspiré par les compositions palladiennes (palais Valmarana à Vicence), se répand dans les années 1770-80 et perdure jusque dans les années 1830-40.

1, rue du Mail, 2ᵉ.

137, rue Vieille-du-Temple, 3ᵉ (détail).

Ensembles urbains coordonnés

8-10, rue Chabanais, 2ᵉ, par Louis et Antoine Périac, après 1776.
La rue est ouverte en 1776 lors du lotissement de l'hôtel Chabanais (ancien hôtel de Saint-Pouanges). Les immeubles qu'on y bâtit sont d'une extrême simpli-

8-10, rue Chabanais, 2ᵉ.

8-10, rue Chabanais, 2ᵉ (détail).

cité : fenêtres bordées d'un sobre chambranle ou se découpant net dans le nu du mur, corniche à gros modillons. Au n° 1, maison de Jean-Baptiste Delécluze, l'autre architecte du lotissement, où vécut Eugène Viollet-le-Duc.
VOIR AUSSI *229-235, rue Saint-Honoré, 1ᵉʳ, par Jacques-Denis Antoine, l'architecte de la Monnaie, 1782 • Rues Marivaux, Grétry, Favart et rue d'Amboise, 2ᵉ : lotissement des jardins de l'hôtel de Choiseul, autour du Théâtre Italien, après 1780 • Place de l'Odéon, 6ᵉ, autour de la place semi-circulaire et sur les rues rayonnant autour du nouveau Théâtre-Français, immeubles de rapport de style franchement néoclassique.*

Des "HLM Louis XVI"

Place du Marché-Sainte-Catherine : 1-5, rue de Jarente et 5, rue d'Ormesson, 4ᵉ, sur les dessins de Jean-Charles Caron, 1783-1790.
Sur le terrain du prieuré Sainte-Catherine-du-Val-des-Écoliers est créée, après plusieurs projets avortés, une place de marché reliée par quatre rues aux rues voisines et bordée d'immeubles locatifs dessinés par l'architecte Jean-Charles Caron, qu'on a pu qualifier d'"HLM Louis XVI" (A. Gady). La simplicité des façades de moellon percées de fenêtres sans chambranle et striées de lignes de refends dans l'enduit de plâtre (bien visibles sur le dessin accompagnant le devis), tient aux exigences du programme plus qu'à un choix esthétique. La

11, place du Marché-Sainte-Catherine, 4ᵉ.

typologie de l'immeuble de plâtre, modeste, est fixée là pour près d'un siècle.
À l'autre extrémité de la gamme, sur le pourtour du jardin du Palais-Royal, loti par le duc d'Orléans en 1785, les immeubles de rapport présentent une ordonnance unifiée de grands pilastres cannelés corinthiens, selon le dessin superbe de Victor Louis, qui fait de l'ensemble le lieu à la mode à la veille de la Révolution.

Le Paris de Percier et Fontaine (1792-1830)
Du néoclassicisme au "néoraphaélisme"

"Comment faudrait-il décorer les rues d'une ville ? Si (…) elles étaient bordées de portiques, si ces portiques destinés à un même usage dans toute l'étendue d'une ville avaient une disposition uniforme, enfin si les maisons particulières auxquelles ils donneraient entrée étaient disposées de la manière la plus convenable à l'état et à la fortune de chacun de ses habitants, et par conséquent avaient toutes des masses différentes, une telle ville offriraient le spectacle le plus ravissant et le plus théâtral."

Jean Nicolas Louis Durand, *Précis des leçons d'architecture données à l'École polytechnique*, Paris, 1819.

Les troubles révolutionnaires ne sont guère favorables à la construction (voir cependant 2-4, rue de la Chaussée-d'Antin, 9ᵉ, par Nicolas Vestier, 1792), et la nationalisation des biens du clergé n'a pas dans l'immédiat de fortes répercussions sur l'urbanisme de Paris, même si quelques couvents sont lotis (cour Batave sur l'emplacement du couvent du Saint-Sépulcre, 60, rue Saint-Denis ; 68-80, rue du Bac, sur le terrain du couvent de la Visitation Sainte-Marie ; 79-81, rue du Bac, sur celui des Récollets, etc.).

La Restauration est plus active que l'Empire. Sous l'impulsion du préfet Chabrol (1812-1830), soixante-cinq rues sont ouvertes entre 1815 et 1830. Dans ce domaine comme dans d'autres se mettent en place, sous les règnes de Louis XVIII et de Charles X, les procédures qui se développeront sous la monarchie de Juillet avant de triompher sous le second Empire. La rue de Rivoli est exemplaire de cette continuité : le premier tracé, décidé par Napoléon Iᵉʳ, devait doubler la rue Saint-Honoré de la place de la Concorde à la place du Palais-Royal. Proposé en 1847 par le préfet Rambuteau et adopté en 1848, le prolongement de la rue de Rivoli est commencé en 1849, sans arcades, et poursuivi en 1852, avec arcades, le long du Louvre, les arcades ne disparaissant que plus loin jusqu'à l'Hôtel de Ville, où la nouvelle rue apparaît comme la première grande percée haussmannienne : "Nous n'avons plus qu'une rue à Paris, écrit Victor Fournel dans *Paris nouveau* (1865), c'est la rue de Rivoli."

Immeuble place de la Madeleine, à l'angle de la rue Tronchet, 8ᵉ,
par Destouches, 1826, dans Normand fils, *Paris moderne*,
Bance fils, 1837, pl. 10.

L'architecte Jean Nicolas Louis Durand, influent professeur à l'École polytechnique, plaide pour les rues à arcades sur le modèle antique ou italien. Charles Percier et Pierre François Léonard Fontaine, les architectes de l'Empereur, ont l'occasion de mettre en œuvre cette esthétique sur la nouvelle rue de Rivoli, dont la longue perspective ordonnancée préfigure l'esthétique de la rue haussmannienne. Mais les rues marchandes couvertes d'une verrière (passage Feydeau, 1791 ; passage du Caire, 1799 ; galeries Vivienne et Colbert, 1823-1826) créent un espace urbain inédit grâce à la lumière zénithale contrôlée.

Le style néoclassique reste dominant mais il s'enrichit d'allusions étrusques (rue des Colonnes, sur les dessins de Nicolas Vestier, 1793-1797) ou égyptiennes (2, place du Caire, par J. G. Garaud, 1828). Il s'infléchit surtout en se tournant vers l'architecture italienne du Cinquecento plutôt que vers le grand style à la française d'Hardouin-Mansart, comme la génération précédente, marquée par les leçons de Jacques-François Blondel : les palais dessinés par Raphaël et Sangallo, dont Percier et Fontaine publient les relevés, servent désormais de référence.

Cette élégance italianisante, qui triomphe dans les lotissements du quartier Saint-Georges, du faubourg Poissonnière, du quartier François Iᵉʳ comme dans les hôtels de la Nouvelle Athènes (en dépit de son appellation), ce "néoraphaélisme", ainsi que les quelques touches d'exotisme égyptien et d'historicisme étrusque perceptibles ici ou là, constituent les prémisses du romantisme éclectique qui marquera le Paris de Louis-Philippe.

Traits et motifs distinctifs

Balcon fin en fer forgé à motif losangé ou en fonte à petits entrelacs "à la cathédrale" : 17, rue Pierre-Lescot, 1er, 1815-1820.

Fenêtre en plein cintre, serlienne ; niche ronde et refends : 81, rue du Bac, 7e.

Décor à l'antique : 5, rue de la Cossonnerie, 1er, 1795.

Fenêtre classique de style italien ou français :

Rue de Rivoli, 1ᵉʳ.

La rue de Rivoli, nouveau modèle urbain

Rue de Rivoli, 1ᵉʳ, par Charles Percier et Pierre François Léonard Fontaine, 1802-1835.

Destinée à doubler la rue Saint-Honoré le long du Louvre et du jardin des Tuileries à partir de la rue de Richelieu, la rue de Rivoli est bordée d'immeubles d'ordonnance uniforme sur les dessins des architectes de Napoléon Iᵉʳ, Percier et Fontaine. C'est le principe de la place royale ordonnancée appliqué à la rive d'une rue : le rapport de la rue de Rivoli au jardin des Tuileries rappelle les maisons de la place des Vosges, dont le terre-plein est devenu jardin, ou encore le lotissement du Palais-Royal.

L'emploi de la pierre de taille, la galerie sur laquelle ouvrent les boutiques en rez-de-chaussée, les trois balcons filants et le grand comble arrondi qui vient se substituer à un premier dessin plus italien à terrasse, assurent l'unité de l'ensemble, segmenté en de multiples propriétés. Le gabarit des fenêtres, qui se détachent bien sur le nu du mur avec leur chambranle finement mouluré et leur petite corniche, est typique du goût néoraphaélesque diffusé par Percier et Fontaine, qui marque la génération des Visconti et Leclère, formés dans l'atelier Percier.

VOIR AUSSI *12, rue d'Alger, 1ᵉʳ, par Louis Visconti, 1825-1830 • 11-13, rue du Mont-Thabor, 1ᵉʳ, et surtout 14-18 : au contact de la rue de Castiglione, la façade du nº 9 présente, elle, des fenêtres plus étirées, selon la tradition plus proprement française.*

Autres ordonnances urbaines

1, place Franz-Liszt et 91, rue d'Hauteville, 10ᵉ, par Jules Pellechet sur un dessin type donné par les architectes Auguste Constantin et Achille Leclère, 1825-1835.

La place Franz-Liszt, ancienne place Charles-X, tracée en 1822, d'abord sur un plan hexagonal, forme un dégagement semi-circulaire sur la rue La Fayette devant la nouvelle église Saint-Vincent-de-Paul. Elle peut se lire comme une version plus modeste de la place des Victoires et de la rue de Rivoli : avec la première elle partage sa forme arrondie et son rez-de-chaussée entresolé à arcades orné de refends ; à la seconde elle doit ses doubles balcons filants et ses fenêtres italianisantes. Publiée dans les anthologies de Normand et de Thiollet en 1837 et 1838,

1, place Franz-Liszt, 10ᵉ.

1, place Franz-Liszt, 10ᵉ.

10-14, rue Duphot, 1ᵉʳ.

L'immeuble double ou triple

10-14, rue Duphot, 1ᵉʳ, par Emmanuel Aimé Damesme, 1806-1810.

En 1838, Thiollet publie plusieurs exemples de maison double (ou maisons jumelles), soulignant l'intérêt de ce parti qui permet à l'architecte "de donner plus de développement à sa composition", comme l'avait fait Louis Le Vau avec les hôtels Hesselin et Sainctot (dans l'île Saint-Louis, détruits). Ici, la symétrie est créée par le rythme des baies : triples baies en plein cintre des deux immeubles latéraux tandis qu'au centre, le triplet se développe latéralement, esquissant une serlienne au-dessus du passage axial qui conduisait au manège Duphot.

VOIR AUSSI *4, rue de l'Arcade (anciens 15 et 15 bis, rue de la Madeleine), 8ᵉ : autre immeuble double publié par Thiollet, 1838, pl. 73-74.*

cette sobre synthèse entre architectures à la française et à l'italienne se retrouve dans des ensembles plus modestes comme dans des immeubles isolés.
VOIR AUSSI *19, boulevard Saint-Denis, 2ᵉ, 1827-1828, par Alexandre Dubois : dessin publié dans Thiollet, 1838, pl. 26-29 • 9, boulevard Poissonnière, 2ᵉ • 88, rue du Bac, 7ᵉ, 1822, par Charles-Pierre Gourlier : dessin publié dans Normand, Paris moderne, 1837, t. I, pl. 80-81 • 38, rue de Londres, à l'angle de la rue de Milan, 9ᵉ, par Étienne-Hippolyte Godde : grande maison à loyer, dont Thiollet ne reproduit que le plan.*

93, rue Saint-Honoré, 1ᵉʳ.

Niches, oculi et refends

4, rue d'Aboukir (ancienne rue des Fossés-Montmartre), 2ᵉ, par Jules de Joly, avant 1830.

Les refends, qui soulignent ou, plus souvent, simulent les joints, sont depuis longtemps utilisés pour donner au rez-de-chaussée une allure de socle. Inspirés par des compositions italiennes du XVIᵉ siècle (le palais Lancellotti De Torres, de Pirro Ligorio, sur la place Navone à Rome, par exemple), certains architectes commencent dans les années 1780 à les utiliser pour toute la façade, jouant sur leur plus ou moins grande finesse pour faire contraster les étages (voir p. 99). Pour les immeubles de pierre, puis de plâtre, cette formule connaît une fortune certaine jusqu'au début des années 1840. Cité en 1838 dans le recueil de Thiollet (pl. 8-9), cet immeuble joue avec bonheur sur le graphisme léger des refends, la scansion des élégantes corniches (ornées de denticules, de grecques et d'oves), et la variété des baies (serlienne au premier étage, fenêtres en plein cintre alternant avec des niches rectangulaires au deuxième, petites fenêtres rectangulaires alternant avec des niches rondes ornées de bustes sur consoles à écailles au troisième).

VOIR AUSSI *57, rue Madame, 6ᵉ : refends sur trois étages contrastant avec l'attique lisse • 81, rue du Bac, 7ᵉ, 1806 • 56, rue du Faubourg-Poissonnière, 10ᵉ.*

L'âge d'or des passages

Galerie Véro-Dodat, 19, rue Jean-Jacques-Rousseau et 2, rue du Bouloi, 1ᵉʳ, 1826.

"Récente invention du luxe industriel", comme l'écrit un guide illustré de Paris cité par Walter Benjamin, qui y a vu un symbole

Le renouvellement du petit parcellaire

93, rue Saint-Honoré, 1ᵉʳ, pour l'apothicaire Cléranbourg, vers 1825.

À côté des nouveaux lotissements, le renouvellement du vieux tissu de Paris se poursuit, parcelle par parcelle, ce qui explique cette élégante composition miniature que Thiollet inclut dans son anthologie avec trois autres exemples (pl. 34). La croisée encadrée de deux demi-croisées de la maison primitive du XVIᵉ siècle a été transformée en serlienne, le motif à la mode.

4, rue d'Aboukir, 2ᵉ.

Galerie Véro-Dodat, 2, rue du Bouloi, 1ᵉʳ.

Passage des Panoramas, 11, boulevard Montmartre, 2ᵉ.

Entrée du square d'Orléans, 80, rue Taitbout, 9ᵉ.

de "Paris, capitale du XIXᵉ siècle", les passages sont des rues piétonnes couvertes "qui courent à travers des blocs entiers d'immeubles dont les propriétaires se sont solidarisés pour ce genre de spéculation." Si les premiers apparaissent en 1799, la plupart de ces passages sont construits entre 1822 (passage de l'Opéra) et 1847 (passage Verdeau), mais la typologie perdure (cité de l'Argentine, associant une galerie marchande et des logements à bon marché, 111, avenue Victor-Hugo, 16ᵉ, par Henri Sauvage et Charles Sarazin). Derrière l'immeuble aligné sur la rue, où s'ouvre une grande arcade, s'étend une galerie marchande avec éclairage zénithal bordée de part et d'autre de petites boutiques surmontées de logements, souvent en duplex autour de la verrière axiale.

VOIR AUSSI *Passage des Panoramas, 10, rue Saint-Marc et 11, boulevard Montmartre, 2ᵉ, 1800, agrandi en 1834 • Galerie Vivienne, 4, rue des Petits-Champs, 2ᵉ, par François-Jean Delannoy, 1823, et galerie Colbert, 6, rue des Petits-Champs, 2ᵉ, par J. Billaud (Thiollet, pl. 30-31), 1826.*

Un square
à l'anglaise néogrec
Square d'Orléans, 80, rue Taitbout, 9ᵉ, par Edward Cresy, 1829-1835.
Derrière un immeuble bordant la rue Taitbout, plus tardif, s'étend le square d'Orléans, cité privée construite par un architecte anglais sur le modèle des squares londoniens. Habité par des artistes (George Sand, Frédéric

Chopin, Alexandre Dumas), il se distingue par son espace arboré orné d'un fontaine, ses petites "cours anglaises" (cours étroites, au pied des immeubles, sur lesquelles prennent jour les services en sous-sol) et son ordonnance de grands pilastres inspirés de l'ordre ionique de l'Erechteion (publié par Stuart et Revett dans *Antiquities of Athens*, 1787), qui donnent aux immeubles leur élégance anglaise néogrecque.

Square d'Orléans, 80, rue Taitbout, 9ᵉ.

Le Paris de Louis-Philippe (1830-1848)
L'architecture du juste milieu

"Ce style à cinq étages, sur l'inexorable échelle
de dix-sept mètres cinquante centimètres,
est l'expression sans contredit la plus exacte
de l'art de ce temps-ci."
Félix Pigeory, *Les Monuments de Paris*, Hermitte, Paris, 1847.

Le préfet Rambuteau (1833-1848) marque de sa forte personnalité les transformations du Paris de Louis-Philippe, qui compte en 1833 quelque 800 000 habitants. Cette période préfigure à bien des égards la restructuration la plus ample conduite par Haussmann. En englobant les villages suburbains, de Montmartre à Belleville, d'Auteuil à Vaugirard, la nouvelle enceinte fortifiée de Thiers (1840, détruite après 1918), dont le tracé correspond à nos boulevards extérieurs, détermine l'extension du grand Paris de Napoléon III. Les lotissements se multiplient : cent dix rues nouvelles sont ouvertes entre 1830 et 1848, et les percées de la rue Rambuteau ou de la rue du Pont-Louis-Philippe témoignent déjà du souci de trancher dans le vieux tissu parisien. La loi permettant l'expropriation pour cause d'intérêt public (1841) est l'instrument qui va permettre de remodeler le vieux Paris. En revanche, la disposition obligeant les propriétaires à reconstruire en retrait de l'alignement de la rue pour élargir le tracé des voies anciennes n'atteint pas son but ; aucune rue "frappée d'alignement" ne fut intégralement rebâtie sur le nouveau tracé : seuls quelques immeubles en retrait témoignent de la tentative d'élargissement alors qu'un groupe de maisons anciennes résiste à l'alignement. Certains architectes voyers, comme Louis Visconti, en charge du 3e arrondissement à partir de 1830, jouent un rôle important en négociant pour éviter la cacophonie des initiatives individuelles.

Le programme de l'immeuble de rapport, qu'on appelle aussi "maison à loyer", commence à occuper une place importante dans l'activité des architectes et à supplanter l'hôtel particulier dans l'intérêt du public. Dans son

Immeuble rue de l'Échiquier, 10e, par Francis Equer, dans Victor Calliat, *Parallèle des maisons de Paris*, 1850, t. 1, pl. 34.

Paris moderne, Normand explique : "Les maisons de luxe destinées à l'habitation d'une seule famille (…) n'y occupent qu'une place secondaire ; nous avons donné la préférence à celles dites « à location »."
Indice d'un transfert sur le programme des immeubles de rapport, les immeubles signés apparaissent en 1828-1830 et se multiplient à partir de 1839-1840. "Je suis resté étranger aux entreprises de constructions particulières, qui sont la seule chance de fortune offerte aux architectes", écrit Henri Labrouste lorsqu'il est candidat en 1838 à la chaire d'architecture de l'École polytechnique. Si les styles classique et néoclassique perdurent avant de se fondre dans un éclectisme généralisé, le goût romantique, qui triomphe en littérature, entraîne l'apparition d'un nouveau répertoire ornemental, plus pittoresque, inspiré par la Renaissance française. Sans exactitude archéologique, les ornements Louis XII ou François Ier, mâtinés parfois d'éléments plus exotiques, viennent se greffer sur des ordonnances classiques, un peu comme le répertoire rocaille dans la première moitié du XVIIIe siècle. Une nouvelle ordonnance, inspirée des palais vénitiens, connaît une fortune qui dure jusqu'au second Empire : trois baies rapprochées forment un motif se détachant fortement au centre d'une façade à cinq ou sept travées, les fenêtres latérales étant séparées par de plus larges trumeaux. Le triplet central, qui correspond au salon, constitué d'arcades en plein cintre comme dans le modèle vénitien, de fenêtres rectangulaires plus traditionnelles, de style classique ou néo-Renaissance, plus rarement néogothique ou orientalisant, ouvre sur un balcon parfois répété aux autres étages sous le balcon filant de l'attique.

Traits et motifs distinctifs

Ordonnance "à la vénitienne",
avec trois baies groupées
au centre, correspondant
habituellement au salon, et
des fenêtres détachées sur
les côtés : 23, rue d'Hauteville,
10ᵉ, par Viel et Desjardins,
vers 1848.

Apparition du répertoire première Renaissance : 24, rue Linné,
5 et 7, place Jussieu, 5ᵉ, par Totrain et Vigreux, sculptures par Adolphe-Paul
Giraud, 1842 (le retour, sur la place, de l'immeuble 24, rue des Écoles,
avec le buste de François Iᵉʳ, fait symétrie, par delà l'immeuble du 7, place
Jussieu, avec le petit immeuble du 5, orné du buste d'Henri II ci-dessous).

Garde-corps et balcon de fonte : 28, rue Saint-Georges, 9ᵉ.

Portail à grille de fonte ajourée, à motifs première Renaissance : 102, boulevard Beaumarchais, 11ᵉ.

Entrelacs et rinceaux : 57, boulevard Beaumarchais, 3ᵉ, par D'Avrange et Durupt, architectes, 1848.

3, rue Soufflot, 5^e.

3, rue Soufflot, 5e (détail).

VOIR AUSSI *3, rue d'Alger, 1er, par Gauthier, 1834 • 8, place de la Bourse, 2e • 24, rue Saint-Marc, 2e, par Jules Pellechet, 1834 • 6, rue Madame, 6e, par Dupuis, 1834 : publié en 1837 dans l'anthologie de Normand fils, pl. 20.*

La ville de plâtre entre sobriété et pittoresque

76, rue du Bac, 7e : une façade toute simple ; 14, rue Saint-Roch, 1er, par Meunil, 1839 : une façade ornée.

Dans *Notre-Dame de Paris*, Victor Hugo se désole que les monuments de la capitale semblent "s'engloutir peu à peu noyés dans les maisons" : "Nos pères avaient un Paris de pierre ; nos fils auront un Paris de plâtre." Dans la continuité des immeubles de plâtre de la Restauration, ceux de l'époque

Derniers feux néoclassiques

3, rue Soufflot, 5e, par Louis Mayet, 1831.

La bataille d'*Hernani* contre les vieilles barbes de l'Institut date de 1830, mais Quatremère de Quincy, secrétaire perpétuel de l'Académie des beaux-arts, défend l'orthodoxie néoclassique jusqu'à sa mort en 1849. La large façade de cet immeuble, ornée de statues dans des niches sur plusieurs registres, relève toujours de l'esthétique néoclassique. La proximité du Panthéon, qui, rendu au culte en 1806, redevient monument aux gloires nationales en 1830, a peut-être soutenu cet ambitieux dessin où la monumentalisation de l'immeuble de rapport est accomplie.

76, rue du Bac, 7e.

Louis-Philippe conviennent à la classe montante des petits employés, que Balzac décrit avec ironie dans *Les Petits Bourgeois*, comme son personnage Phélion : "Il aimait la ville de Paris, il s'intéressait aux alignements, aux embellissements. Il était homme à s'arrêter devant les maisons en démolition."

Mais ces immeubles de plâtre autorisent des expressions très diverses : degré zéro de l'architecture ou enrichissements abondants, mais économiques, comme l'illustre le contraste entre ces deux immeubles.

Le schéma vénitien

43, rue de l'Échiquier, 10ᵉ, vers 1840.

La cristallisation d'une nouvelle culture architecturale, éclectique, qui vient choisir dans le large portefeuille des motifs de toutes époques et de tous pays ce qui peut être utile au programme de l'immeuble bourgeois, triomphe dans les nouveaux quartiers du Paris de Louis-Philippe : sur les Grands Boulevards, au faubourg Poissonnière, dans le quartier Saint-Georges.

Cet éclectisme favorise la diffusion d'un nouveau type d'ordonnance, inspiré par les palais vénitiens, dont on reprend le motif d'un triplet de baies, groupées au centre, liées souvent par un balcon et s'élevant sur trois registres, ce qui a l'avantage de structurer fortement la façade (pp. 28 et 112). En 1850, le *Parallèle des maisons*

43, rue de l'Échiquier, 10ᵉ.

de Paris construites de 1830 à 1850, dessiné et publié par Victor Calliat, en donne une dizaine d'exemples, dont un immeuble rue de l'Échiquier, dessiné par Francis Equer (voir p. 111).

Aujourd'hui, on trouve dans cette rue deux immeubles avec une ordonnance à la vénitienne, l'un tout en plâtre au n° 39, l'autre en partie en pierre au n° 43, qui ne correspondent pas au dessin publié (que cet immeuble ait disparu ou que le dessin n'ait pas été exécuté comme il a été publié), et les rues voisines présentent d'autres variations contemporaines du même type d'ordonnance, avec des ornements qui vont du néo-Renaissance le plus libre au pur classicisme : 27, rue d'Enghien ; 23, rue d'Hauteville, par Viel et Desjardins, vers 1848 ; 17 *bis*, rue de Paradis, par Charles Sédille, 1848.

14, rue Saint-Roch, 1ᵉʳ.

VOIR AUSSI *7, boulevard des Ca-pucines, 2ᵉ, par Jean-Baptiste Le-sueur, 1835 : peut-être la première apparition à Paris de l'ordon-nance à la vénitienne, traduite dans un langage classique par un ancien élève de Charles Percier à l'École des beaux-arts, grand prix de Rome en 1819 • 1-5, rue Laf-fitte, 9ᵉ, par Victor Lemaire, qui ne semble qu'entrepreneur, et J.G. Garraud, sculpteur, 1839 : si le triplet central est bien marqué par deux registres de baies en plein cintre et trois balcons superpo-sés, les travées latérales ne le sont pas moins, avec le grand portail surmonté d'une superbe fenêtre à édicule • 20 et 22, boulevard Pois-sonnière, 9ᵉ, vers 1840 : schéma vénitien classique pour ces deux petits immeubles des Grands Bou-levards.*

Variations sur le schéma vénitien

28 et 32 rue du Bac, 7ᵉ.

Selon le principe de l'esthétique éclectique, le parti de façade à la vénitienne est décliné une triple ligne de variations :

• réduction en largeur ou en hauteur du groupe de baies axiales, qui peut se contracter et se réduire à deux travées, se développer seulement sur un ou deux registres correspondant aux appartements principaux du premier et du second étage,

• forme des baies, en plein cintre, en arc segmentaire, rectangu-laires,

• style des ornements, du clas-sicisme le plus strict au néo-Re-naissance le plus débridé.

Cette ordonnance perdure sous le second Empire (48, rue des Écoles, 1871) avec des variations

plus libres encore, où le schéma original finit par se dissoudre.

VOIR AUSSI *51, rue Richer, 9ᵉ, par Dumoulin, 1836 : le triplet central n'est marqué ni par la forme des baies, rectangulaires, ni par les balcons, séparés, mais seulement par les trumeaux, plus étroits, or-nés de pilastres superposés ; l'ac-centuation de la seule baie centrale dans les deux étages supérieurs par deux niches sont les traces d'une culture néoclassique • 110, rue de Richelieu, 2ᵉ, par Navarre, 1840 : le triplet central est encadré de pilastres jumelés sur les trois registres, mais le balcon filant au premier étage sur les cinq travées où toutes les fenêtres sont en plein cintre, est la trace d'une culture classique • 57, boulevard Beaumar-chais, 3ᵉ, par D'Avrange et Durupt, architectes, 1843 (voir p. 113) : ordonnance contractée sur deux*

28, rue du Bac, 7ᵉ.

32, rue du Bac, 7ᵉ.

baies jumelées au centre, pour un immeuble étroit de quatre travées, orné de riches entrelacs première Renaissance, dont les mêmes architectes donnent en 1847 une version réduite pour le 23, rue Victor-Massé • 39, rue d'Amsterdam, 9ᵉ, par Mortier : triplet de baies rectangulaires encadré par deux registres de colonnes et souligné par un seul balcon au second, le bel étage ; publié dans l'anthologie de Calliat, 1850, (pl. 117) ; le n° 41, non signé, est presque identique ; les deux immeubles en face, nᵒˢ 50 et 52, signés Leroy et fils, 1846, ne marquent le centre de leur façade que par le balcon.

Le style néo-Renaissance

27, rue Victor-Massé, à l'angle de la rue Henri-Monnier, 9ᵉ, par D'Avrange et Durupt (?), vers 1845.

Le style néogothique, qui s'impose dans l'architecture religieuse, touche peu l'architecture privée, et moins encore les immeubles de rapport que les hôtels particuliers : l'immeuble du 28, rue de Liège, 9ᵉ, bâti en 1846-1848 par Viollet-le-Duc pour Henry Courmont, chef du bureau des Monuments historiques depuis 1846, ne tranche avec ses voisins que pour l'œil du passant attentif.

La rupture est plus visible dans les immeubles néo-Renaissance. Les motifs pittoresques, plus ou moins librement inspirés du répertoire de la première Renaissance française (pilastres composites, frises et candélabres à fleurons, petites

27, rue Victor-Massé, à l'angle de la rue Henri-Monnier, 9ᵉ.

27, rue Victor-Massé, 9ᵉ (détail).

port du 15-17, rue Rambuteau, 4ᵉ • 24, rue d'Enghien, 10ᵉ, par Rivière : publié dans l'anthologie de Victor Calliat, 1850, pl. 101 • 8, rue Blanche, 9ᵉ : une ordonnance à la vénitienne, encadrée de superbes pilastres à candélabres Renaissance, dont l'ordonnance est presque dupliquée au 41, rue Notre-Dame-de-Lorette, 9ᵉ • 37, boulevard Saint-Martin, 3ᵉ • 4, rue de l'Arcade, 8ᵉ • 45, rue de la Chaussée-d'Antin, 9ᵉ • 12, boulevard Beaumarchais, 11ᵉ.

têtes émergeant des médaillons), mais aussi du style bellifontain (cartouches et cuirs découpés), viennent égayer les façades neuves du Paris romantique.

L'immeuble à l'angle des rues Victor-Massé et Henri-Monnier est typique de cet éclectisme, peu savant mais spectaculaire, dont la surabondance décorative tranche avec l'austérité néoclassique de la génération précédente. Les architectes D'Avrange et Durupt, qui signent deux immeubles d'une fantaisie décorative analogue (23 et 27, rue Victor-Massé, 1847, et p. 113), pourraient bien être les auteurs de cette composition.

VOIR AUSSI 28, place Saint-Georges, 9ᵉ, par Édouard Renaud, architecte, G. J. Garraud et A. Desbœufs, sculpteurs, Auguste et Henri Lechesne, ornemanistes, 1840-1841 : Renaud éleva dans le même style les immeubles de rap-

Rinceaux et entrelacs
10, rue Saint-Augustin, 2ᵉ, vers 1840.

Le goût orientalisant, en vogue dans le décor des cafés, touche moins l'architecture des immeubles de rapport, mais des entrelacs d'une inspiration assez libre, des rinceaux et des candélabres, inspirés plus ou moins librement du répertoire de la première Renaissance, viennent orner avec pittoresque les frises, chambranles ou les trumeaux.

10, rue Saint-Augustin, 2ᵉ.

Ici, les fenêtres sont encadrées d'un original décor d'entrelacs orné de petites têtes émergeant des médaillons à la manière de la première Renaissance.

VOIR AUSSI *28, rue de Richelieu, 1ᵉʳ : exceptionnel décor d'arabesques mudéjar • 38, rue des Petits-Champs, 2ᵉ : entrelacs d'esprit Renaissance • 83, boulevard Beaumarchais, 4ᵉ, par Paul Mesnard, 1838 : une frise première Renaissance pour couronner le rez-de-chaussée et trois superbes candélabres Renaissance pour orner les étroits trumeaux du bel étage de ce petit immeuble.*

Un classicisme du juste milieu

7 et 9, boulevard Beaumarchais, 4ᵉ, par Boivin, 1845.

Les façades première Renaissance se font d'autant plus remarquer que la plupart des immeubles continuent de s'inscrire dans la tradition classique : ordres superposés ou simple alternance de frontons triangulaires et cintrés.

Ce classicisme peut être adouci par les portes ajourées à décor de fonte et les balcons, où les motifs première Renaissance offrent une alternative aux grands griffons classiques affrontés. Il est parfois égayé par l'introduction mesurée de quelques motifs ponctuels : pilastres première Renaissance à médaillons ou triangles, mascarons, rinceaux et frises discrètement troubadour.

VOIR AUSSI *8, boulevard Poissonnière, 1830, par Bringol, qui est le premier à signer, encore discrètement, un immeuble de rapport • 16, boulevard Beaumarchais, 11ᵉ, par Ferdinand Verneuil, 1843 : balcon au second étage devant les deux fenêtres centrales, magnifiées en outre par un fronton • 50 et 52, rue d'Amsterdam, 9ᵉ, par Leroyer et*

fils, 1844 et 1846 : balcon groupant trois fenêtres axiales, face aux deux immeubles avec un triplet à la vénitienne, nᵒˢ 39 et 41 • 49, rue Saint-Georges, 9ᵉ, par H. Poulain, 1846 : strict quadrillage classique égayé de motifs première Renaissance, qui contraste avec le classicisme éclectique du 6, rue d'Aumale, 9ᵉ, dessiné en 1849 par Godeboeuf.

7 et 9, boulevard Beaumarchais, 4ᵉ (détail).

Paris, capitale du XIXᵉ (1848-1881)
Classicisme éclectique
et expériences modernes

"Les amants avaient l'amour du nouveau Paris. Ils couraient la ville en voiture,
faisant un détour pour passer par certains boulevards qu'ils aimaient
d'une tendresse personnelle. Les maisons, hautes, à grandes portes sculptées,
chargées de balcons, où luisaient en grandes lettres d'or des noms, des enseignes,
des raisons sociales, les ravissaient."
La Curée

Baudelaire se désole dans ses *Tableaux parisiens* : "Le vieux Paris n'est plus ; la forme d'une ville / Change plus vite, hélas, que le cœur d'un mortel." D'autres exultent, comme Émile de Labédolière dans *Le Nouveau Paris* : "De 1850 à 1860, Paris a pris une physionomie toute nouvelle. Paris est transfiguré ; les gothiques masures de nos pères sont tombées sous le marteau des démolisseurs. Les vieilles rues étroites ont fait place à de larges artères qu'inonde le soleil."
Georges Eugène Haussmann, préfet de la Seine de 1853 à 1870, est l'âme de cette restructuration. Ce qu'Henri IV et Louis XIV avaient fait autour des places royales, ce que Napoléon Iᵉʳ avait fait sur un axe privilégié, la rue de Rivoli, Haussmann l'opère autour des nouvelles places et des nouveaux squares, mais aussi sur les nouveaux boulevards tracés et les nouvelles rues percées à travers le tissu du vieux Paris.

Le décret du 26 mars 1852 se soucie du bon entretien des façades : "Les façades des maisons seront constamment tenues en bon état de propreté. Elles seront grattées, repeintes ou badigeonnées au moins une fois tous les dix ans.". Il met aussi en place l'expropriation "pour cause d'utilité publique", qui accroît la liberté d'intervention sur le vieux tissu. Soutenue par l'excellente rentabilité de l'investissement dans la pierre (6 à 7 % en 1860 ; 5 % encore en 1880, alors que la rente de l'État ne rapporte que 3,8 %), cette politique se poursuit grâce au maintien d'Alphand comme directeur de travaux après la chute de l'Empire en1870 et jusqu'à l'adoption, en 1882 et 1884, de nouvelles règles sur les saillies et le gabarit

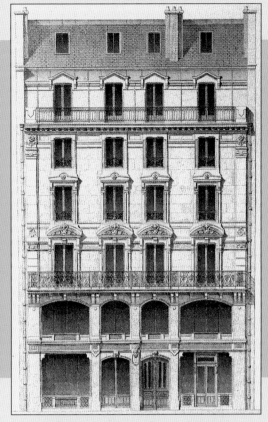

Maison à loyer, deuxième classe :
63, boulevard de Sébastopol
(aujourd'hui n° 75) par MM. Garnier et
Coulon, architectes dans César Daly,
L'Architecture privée au XIXe siècle, t. 2,
Maisons à loyer, A. Morel et Cie, 1864.

des immeubles, qui marquent la rupture avec l'esthétique haussmannienne.

Les immeubles privés, qui forment le nouveau paysage urbain, sont frappés de servitudes esthétiques pour assurer une meilleure harmonie. Le cahier des charges intégré à l'acte de vente des parcelles bordant les nouvelles voies précise que les maisons de chaque îlot doivent avoir "les mêmes hauteurs d'étage et les mêmes lignes principales de façade", afin que l'îlot forme "un seul ensemble architectural". Le règlement de 1859, qui autorise une plus grande hauteur des immeubles sur les rues les plus larges, contribue à accentuer la hiérarchie entre le "nouveau Paris" et le "vieux Paris".

Un modèle s'impose sur ces voies larges : rez-de-chaussée et entresol traités en soubassement par des refends, et trois étages courants encadrés par les balcons du deuxième et du cinquième étage (premier et quatrième au-dessus d'un entresol). Une gradation esthétique, parallèle à la gradation sociale, introduit cependant une certaine variété, comme le souligne César Daly, dans son ouvrage sur *L'Architecture privée au XIXe siècle sous Napoléon III*, en 1864 : "Les maisons forment une série croissante en importance, en commodité et en luxe, depuis les maisons à loyer des ouvriers et des petits fabricants jusqu'aux riches maisons des boulevards." Sur ceux-ci, la construction obligatoire en pierre, qui contraste avec les immeubles de plâtre de l'époque Louis-Philippe, contribue à la monumentalisation de ce nouveau paysage urbain de Paris, qui s'affirme comme le modèle européen de "la capitale du XIXe siècle".

Traits et motifs distinctifs

Vocabulaire classique éclectique : 24, boulevard Saint-Germain, 5ᵉ.

Grandes portes de menuiserie, néo-Louis XIII, néo-Louis XIV ou néo-Louis XV, intégrant souvent l'entresol : 49, rue La Bruyère, 9ᵉ.

Décor floral stylisé : 9, rue du Conservatoire, 9ᵉ, par Jacques Amoudru, vers 1860.

Relief faible, sans bow-windows ni loggias :
36-38, rue Saint-Placide, 6e.

Balcons filants aux deuxième et cinquième étages : 10-14, quai de la Mégisserie, 1er.

1, avenue Foch, 16ᵉ.

L'immeuble comme monument

1, avenue Foch (ancienne avenue de l'Impératrice puis du Bois), à l'angle de la place de l'Étoile, 16ᵉ, par Jacques Ignace Hittorff, 1858.

Pour urbaniser le haut des Champs-Élysées, Hittorff dessine en 1854, autour de l'Arc de Triomphe, une place d'où rayonnent douze avenues recoupées par une rue circulaire, déterminant douze lots bâtis d'habitations de grand standing. Les constructions qui bordent la place, précédées de jardins, ne sont pas des immeubles mais des hôtels, ou plus souvent des hôtels-immeubles : rez-de-chaussée, entresol et premier sont occupés par le propriétaire, les autres étages sont loués.

Le dessin d'Hittorff dérive des places royales d'Hardouin-Mansart : rez-de-chaussée à refends formant soubassement, ordre colossal de pilastres cannelés corinthiens, fenêtres à fronton au premier étage, à consoles et corniche au second ; mais la substitution de deux étages carrés à la hiérarchie plus marquée du bel étage et de l'attique, le rythme plus serré des fenêtres, de deux et trois travées alternées, et le décor plus soutenu relèvent du XIXᵉ siècle.

Cette composition, qui "annonce autre chose que des maisons vulgaires et banales", comme le souligne Théodore Vacquer dans un recueil de 1861, fait école : en adoptant cette ordonnance ou ses variantes, l'immeuble de rapport devient une des composantes essentielles de la monumentalisation du paysage urbain qu'appelle la dilatation des voies de circulation du nouveau Paris.

Variations sur l'immeuble de première classe

3, rue de la Paix, 2ᵉ, par Paul Mesnard, architecte, et Rouillère sculpteur, 1854.

Publié en 1864 par César Daly comme modèle de maison à loyer de première classe, cet immeuble est orné de médaillons et d'un couple de cariatides soutenant le balcon axial.

VOIR AUSSI *3, place de l'Opéra, 2ᵉ, par Rohault de Fleury, 1860 • 55, boulevard Malesherbes, 8ᵉ, par Jules et Paul Sédille, H. Chapu, statuaire,1864 : cet immeuble, sur le flanc de la nouvelle église Saint-Augustin, propose une variante du type dominant, avec un ordre colossal entre les deu-*

lace de l'Opéra, 2ᵉ.

3, rue de la Paix, 2ᵉ.

xième et troisième étages, mais aussi des fenêtres encadrées de belles figures d'atlantes • 2, place de l'Opéra, 2ᵉ, par Henri Blondel, 1873 • 7, place d'Estienne-d'Orves, 9ᵉ, par Théodore Ballu, 1861 : le type classique, sur lequel renchérit, en 1866, l'immeuble du n° 2, avec des pilastres bagués,

par Charles Forest, qui avait signé un an plus tôt l'immeuble très classique du 45-47, rue Le Peletier • 84-88, boulevard Malesherbes, 8ᵉ, par Lesoufaché, 1862 • 10, rue d'Aumale, 9ᵉ, par A. Sibert, 1864 : une grande ordonnance dans une petite rue • 26, rue de Maubeuge, 9ᵉ, par Charles de Lalande, 1871.

L'immeuble de deuxième classe

26, rue Bergère, 9e, par Lesoufaché.

César Daly distingue trois classes de maisons à loyer. Celles de première classe comprennent quatre étages carrés de grands appartements avec écuries et remises dans la cour. Les immeubles de deuxième classe s'élèvent eux sur cinq étages et disposent aussi d'un escalier de service.

"La maison à loyer ne doit se distinguer généralement par aucun trait trop exceptionnel, écrit Daly. Par son aspect, elle doit se conformer à peu près à tous les goûts, sans se plier à aucun en particulier. (…) Elle doit convenir à la foule, non à la façon d'une mode éphémère, mais à titre d'installation invariablement confortable et décente. Peu ou pas de fantaisie donc, car la fantaisie de l'un est l'aversion de l'autre. Peu ou pas d'essai de Renaissance, de l'antique ou de Moyen Âge, car ces tentatives ne sont, la plupart du temps, inspirées que par des influences passagères."

Dans cet immeuble de rapport, Joseph Lesoufaché joue seulement sur l'équilibre des baies, la mise en place balancée des balcons et un répertoire abstrait de tables et de consoles classiques. Ce classicisme de bon ton qui domine sous le second Empire perdure dans les deux premières décennies de la IIIe République comme l'illustrent, parmi beaucoup d'autres exemples possibles, les immeubles bâtis rue Condorcet, 9e, par Louis Monnier en 1882 selon une gamme descendante (le n° 13 étant plus orné que les n°s 7-11).

VOIR AUSSI *88, rue de Rivoli, 4e, par François Rolland • 2-4, boulevard Saint-Michel, 6e, par Gabriel Davioud • 11, boulevard Saint-Michel, 5e, par Henri Blondel, 1860 • 39, rue des Mathurins, 8e, par Joseph Lesoufaché, vers 1860 • 56, rue de Lisbonne, 8e, par Tronquois, 1869 : simple porte piétonne, deux appartements, deux balcons.*

7, rue de la Montagne-Sainte-Geneviève, 5e.

L'immeuble de troisième classe

7, rue de la Montagne-Sainte-Geneviève, 5e, par F. Vermeil, 1868.

Les immeubles de troisième classe, hauts de cinq étages, offrent de plus petits appartements et n'ont pas d'escalier de service. Ils sont plus dépouillés encore : leur façade nue ne présente pas toujours de balcons. La porte piétonne ou bâtarde (porte piétonne à deux vantaux) est le seul motif qui se détache.

26, rue Bergère, 9e.

Un décor floral stylisé

39, rue du Faubourg-Poissonnière, 9ᵉ, par Francis Equer, 1858.

Pour orner la bibliothèque Sainte-Geneviève, Henri Labrouste invente un nouveau type de décor : des entrelacs floraux stylisés, pour partie incisés dans la pierre, pour partie sculptés en léger relief. Dans cet immeuble de rapport de la rue du Faubourg-Poissonnière comme dans les immeubles voisins des nᵒˢ 9 et 31-37, Equer choisit ce décor simple et élégant, qui convient à des immeubles de catégorie moyenne, et qu'utilisent régulièrement des architectes comme Jacques Amoudru, Alfred Feydeau, Paul Sédille et quelques autres (voir p. 64).

VOIR AUSSI *6, rue Henner, 9ᵉ, par A. Feydeau, 1854 • 9, rue du Conservatoire, 9ᵉ, par J. Amoudru, vers 1860.*

134, rue de la Roquette, 11ᵉ.

Le portefeuille de l'éclectisme

134, rue de la Roquette, 11ᵉ, par Brouilhony, 1861.

Ce gros immeuble de rapport, bâti dans le style "Henri IV", a été publié en 1861, l'année même de sa construction, dans l'anthologie de Théodore Vacquer, *Maisons les plus remarquables de Paris*, 1861. Il y a quelque raison à cela : sa situation urbaine exceptionnelle, au débouché de l'ancienne place du Prince-Eugène (aujourd'hui place Léon-Blum), a appelé un traitement particulier, bien qu'il s'agisse d'un immeuble de troisième classe, comme le révèle sa médiocrité constructive et distributive.

À la pointe d'un îlot complexe, il forme composition avec deux autres : sa façade principale est dessinée dans le fil de l'avenue

39, rue du Faubourg-Poissonnière, 9ᵉ.

Ledru-Rollin, avec un retour d'un côté sur la petite rue Godefroy-Cavaignac et de l'autre sur la rue de la Roquette ; par-delà l'immeuble mitoyen, ce retour fait pendant avec un second immeuble de première classe, de style "Henri IV", dont la façade principale ouvre sur le boulevard Voltaire (n° 130). Ces deux retours à la vive polychromie encadrent un troisième immeuble (n° 132, rue de la Roquette), traité, lui, en style première Renaissance, qui fait face de loin, en biais, à la mairie du 11ᵉ arrondissement. Comme pour les immeubles de la place Jussieu (voir p. 112),

134, rue de la Roquette, 11ᵉ (détail).

l'architecte s'est soucié de créer une composition ternaire monumentale en fonction de la situation urbaine exceptionnelle, mais, au goût romantique pour le style de la première Renaissance, alternative au style classique tardif, a succédé une variété plus éclectique. Avec son beau portail maniériste, inspiré par celui de l'hôtel d'Alméras dans le Marais, ses chaînes de pierre harpées se détachant sur les trumeaux de brique et ses cariatides sous le balcon du quatrième étage, cette façade relève de l'éclectisme savant ; dans les années 1880-1890, on ne retient plus guère du style brique et pierre Henri IV et Louis XIII que le poncif des chaînes harpées le long des fenêtres.

VOIR AUSSI *14, rue du Cardinal-Lemoine, 5ᵉ, 1862 : néo-Louis XV • 50, boulevard Saint-Germain, 5ᵉ, par Nanteuille, 1877 : néo-Louis XVI • 41, rue de Liège, 8ᵉ, par E. Bardon, 1880 : chaînes et tables de pierre sur trumeaux de brique, déclinaison des modèles de Du Cerceau et de Le Muet, une des premières manifestations du style néo-Louis XIII réduit au jeu des chaînes harpées de pierre se détachant sur la brique.*

5, rue de l'Aqueduc, 10e.

Un immeuble à structure métallique

5, rue de l'Aqueduc, 10e,
par A. Lefèvre, 1878.

En 1872, dans ses *Entretiens sur l'architecture*, Viollet-le-Duc publie la planche d'un immeuble à pan de fer, avec revêtement de faïence colorée, dont l'aquarelle originale conservée est datée de 1871. L'immeuble de la rue de l'Aqueduc s'attaque au même problème avec une formule différente : la façade de six étages est raidie par deux pilastres de fonte constitués d'éléments emboîtés les uns dans les autres qui s'élargissent à chaque étage pour faire chapiteau et recevoir les sablières de tôle des planchers, les murs de pierre ne constituant qu'un remplissage. Cette expérience isolée reste sans lendemain direct.

Vers le classicisme ronflant

24, boulevard Saint-Germain, 5e,
par Jean-Marie Boussard, 1881.

L'éclectisme classique d'Hittorff et de Ballu, qui prédominait sous le second Empire, commence à paraître un peu sec et monotone, pour avoir été trop répété sur les immeubles du nouveau Paris d'Haussmann. Architectes et commanditaires esquissent des formes plus variées, des décors plus soutenus que les règlements urbains brident encore.

Le classicisme plus ronflant de Boussard est une des réponses à ce souci de monumentalité et de

24, boulevard Saint-Germain, 5e (détail).

variété que libèrent les nouveaux règlements de 1882 et 1884, qui marquent un tournant et font époque.

VOIR AUSSI, PAR JEAN MARIE BOUSSARD *21, rue des Écoles, 5e, 1879 • 87, rue de Rennes, 6e, 1880 • 19-21 et 18-22, boulevard Saint-Germain, 5e, 1881 • 7-9, place des Ternes, 8e, 1881-1882.*

5, rue de l'Aqueduc, 10e (détail).

24, boulevard Saint-Germain, 5e.

Classicisme tardif et Art nouveau (1882-1902)
Au-delà de l'éclectisme

"J'espère que nous verrons bientôt
des édifices colorés, façades vertes
ou jaunes, qui jetteront une note gaie
dans la monotonie des maisons de pierre."
Alexandre Bigot, 1899.

La construction reprend à Paris à partir de 1884, comme le marque la création de nouvelles revues : *La Construction moderne* en 1885 et *L'Architecture* en 1888. Dans la *Revue des Deux Mondes* du 14 avril 1897, Georges d'Avenel souligne la rapidité de ce renouvellement : "Paris est vieux, mais ses maisons sont jeunes. La moitié d'entre elles ont vingt-cinq ans à peine. (…) Les logis s'étaient renouvelés jusqu'ici moins vite que les générations ne passaient ; dans notre capitale, c'est le contraire : la plupart des habitants sont nés depuis plus longtemps que les immeubles où ils demeurent." L'impression de nouveauté tient aussi à la rupture avec la conception haussmannienne du paysage urbain, où balcons filants et corniches liées soulignent la pers-

pective unifiée des boulevards plus que le tableau individuel des façades. Cette uniformité commence à lasser. Corrigeant "les règlements de M. Haussmann, qui ont paralysé les artistes, étouffé l'imagination et réduit à l'impuissance les hommes les mieux doués", comme l'écrit E. Leclerc dans l'*Encyclopédie d'architecture* en 1885, deux décrets sont adoptés : celui du 22 juillet 1882 autorise des saillies plus importantes (0,80 m pour les balcons à 5,75 m du sol au minimum) et la construction de bow-windows légers ; celui du 10 juillet 1884 établit un nouveau mode de calcul du gabarit fondé sur le rapport entre la largeur de la rue, la hauteur de l'immeuble et la surface non bâtie de la parcelle. La rupture est d'autant plus marquée que la crise de l'immobilier des années 1880-1884 avait

Hector Guimard, Castel Béranger, la façade sur la rue La Fontaine, dans *L'Art dans l'habitation moderne, le Castel Béranger, œuvre d'Hector Guimard*, Librairie Rouard et Cᵉ, Paris (s.d.).

entraîné une plus grande austérité des façades (3, rue Michel-Ange, 16ᵉ, par C. Naudet, 1880 ; 1, avenue d'Iéna, 16ᵉ, par E. Compand, 1884).

1882-1902 : ces vingt années sont pour l'immeuble parisien une phase de grande inventivité, technique, distributive et formelle, comme elles le sont en peinture : tous cherchent à sortir de l'éclectisme en explorant les possibilités formelles des nouveaux matériaux – le fer puis le béton – en inventant un art nouveau ou en revenant à un style historique plus rigoureux.

Le plus décisif est le moins visible : la révolution de l'ascenseur, mis au point pour l'exposition universelle de 1867 par Léon Edoux, qui crée la chose et le mot, perfectionnant le monte-charge à vapeur inventé par l'Américain Otis en 1853. Utilisé d'abord dans les grands magasins, hydraulique en 1869, à air comprimé en 1890, électrique en 1895, l'ascenseur est introduit dans les immeubles d'habitation à partir de 1885. Les conséquences ultimes n'en seront tirées à Paris qu'après 1960 avec la construction des premiers gratte-ciel, mais, dès la fin du XIXᵉ siècle, il rend les étages supérieurs plus attractifs que le premier ou le deuxième. Le souci de libérer l'invention sur ces parties hautes, devenues nobles, aboutit à l'adoption d'un nouveau règlement en 1902, qui marque un second tournant dans l'histoire du paysage de la rue parisienne, plus décisif peut-être qu'une certaine continuité stylistique, tant dans l'éclectisme de 1882 à 1914 que dans l'Art nouveau de 1894 à 1914.

Traits et motifs distinctifs

Bow-windows de métal, de bois, puis de pierre :
7, rue Rembrandt, 8ᵉ, par Gustave Rives, 1898.

Vocabulaire classique et céramique industrielle :
1 *bis*, rue Friant, 14ᵉ, par Albref Riboul, 1888.

Figures féminines se libérant du modèle de la cariatide : 16, rue d'Abbeville, 10ᵉ, par G. Massa, 1900.

Revêtements colorés, céramique et grès flammé :
62, rue Boursault, 17ᵉ, par René Simonet, grès flammés
d'Alexandre Bigot, 1900 (en haut) ; 2, rue Eugène-
Manuel, 16ᵉ, par William Klein, 1897, avec un revêtement
de céramique de grès d'Émile Müller, 1903 (en bas).

Polychromie des matériaux : 14, rue La Fontaine,
Castel Béranger, 16ᵉ, par Hector Guimard, 1895-1898.

Le renouveau de l'immeuble bourgeois, le bow-window

88 bis, boulevard de Port-Royal, 5ᵉ, par P. L. Alinot, 1882.

Les règlements de 1882 et 1884 modifient profondément l'ordonnance des façades des immeubles bourgeois en autorisant sur trois étages la saillie du bow-window, simple, double ou redoublé, en bois ou en métal, avant qu'une tolérance puis un nouveau règlement n'autorisent le bow-window de pierre ou de brique. Entre la traditionnelle double ligne filante des balcons, l'animation de la façade est assurée par le relief vertical des bow-windows, qui montent sur trois étages, du balcon du deuxième, porté par de grosses consoles, à celui du cinquième, qui fait couronnement.

Ici, sur un immeuble assez modeste où cependant la recherche du pittoresque s'exprime aussi dans l'appareil coloré de briques et de briques vernissées, ce léger bow-window de bois est sans doute l'un des premiers utilisant la nouvelle liberté réglementaire. En 1891, Alinot utilise le même type de bow-window dans un autre immeuble brique et pierre (6, rue Thérèse, 1ᵉʳ).

Le motif, qui adopte des formes différentes et appelle des matériaux de revêtement, comme des vitrages colorés, peut être répété. Pour ce qui est des bows-windows de pierre, le motif s'intègre à la façade, qu'il anime frontalement ou dilate aux angles (voir p. 23).

VOIR AUSSI *95, rue de Vaugirard, 6ᵉ, par Ferdinand Gleize, 1891 : oriel semi-circulaire orné de céramiques vertes • 94, boulevard La Tour-Maubourg, 7ᵉ, par Dutartre, 1891 : bow-window métallique orné de céramiques polychromes • 8-10, rue Herran, 16ᵉ, par L. Péchard, 1892 : bow-window double à ornements de céramique • 57, rue du Faubourg-Poissonnière, 9ᵉ, par Jacques Hermant : bow-window triple • 71, avenue Mozart, 16ᵉ, par P. Botterel, 1895 : grandes baies superposées encadrées de pilastres et de colonnes colossales fortement saillantes en guise de bow-windows.*

88 *bis*, boulevard de Port-Royal, 5ᵉ.

24, rue Pétrarque, 16e.

Une touche de couleur : le néo-Louis XIII

24, rue Pétrarque, 16e,
par V. Rich, 1891.

La "révolution bibliographique" de l'éclectisme avait diffusé depuis quarante ans un vaste répertoire de motifs, dans lequel les architectes des immeubles de rapport avaient puisé avec une certaine discrétion ; les années 1880 voient s'ouvrir plus largement la palette des styles.

Le style brique et pierre, intermédiaire entre le pittoresque romantique et le répertoire classique, était devenu à la mode sous le second Empire dans les châteaux et les maisons de plaisance, plus rarement dans les immeubles parisiens (voir p. 127). Après 1882, le goût croissant pour les couleurs vives, dont témoigne l'évolution parallèle de la peinture, conduit les architectes à se tourner vers la polychromie brique et pierre, surtout pour les immeubles d'angle, comme pour marquer chromatiquement les carrefours.

Cette polychromie pittoresque prend des formes variées : elle s'allie à un style néogothique assez lourd, s'inspire de l'aile Louis XII de Blois ou des compositions des Du Cerceau et de Le Muet, à trumeaux de brique et chaînes de pierre harpées, montant de fond le long des fenêtres (voir p. 71). Cette dernière formule connaît une fortune certaine dans l'architecture des immeubles de seconde ou de troisième classe : "Le mélange de ces matériaux (la brique et la pierre) permet d'allier une solidité remarquable à une élégance sans recherche, mais de bon goût. Il résulte de leur assemblage que l'on peut sauver la maison de l'aspect triste et humiliant que détermine la juxtaposition de la brique et de fers apparents, tout en évitant la dépense coûteuse qu'entraîne nécessairement l'emploi exclusif de la pierre de taille", écrivent Darvillé et Lucas dans un ouvrage consacré aux *Habitations à bon marché en France et à l'étranger* (1899). Ce style est utilisé plus tard, jusque dans les années 1930, pour des immeubles modestes dans les arrondissements périphériques. Cet immeuble, bâti dans un quartier bourgeois, il est vrai encore un peu suburbain, semble s'inspirer directement des maisons de la place Dauphine. Deux ans plus tôt, Jacques Denfer et Paul Friesé avaient donné une version voisine, plus raffinée dans le détail, de ce style néo-Louis XIII au 14, rue Paul-Valéry, 16e.

VOIR AUSSI *32, rue Étienne-Marcel, à l'angle de la rue Tiquetonne, 2e, par Louis Legrand, 1886 : l'immeuble, qui occupe tout l'îlot jusqu'à la rue Montorgueil, s'inspire du style orné des Du Cerceau, et non du brique et pierre plus vernaculaire de Le Muet • 9, quai Saint-Michel, 5e, par Henri Clyatt, 1888 : la brique sur laquelle s'enlèvent les fenêtres de pierre blonde évoque le "Georgian style" plus que le brique et pierre néo-Louis XIII • 33-35, rue Montgallet, 12e, par Alphonse Olivier, 1889 : sur un rez-de-chaussée entresolé, traité en pierre pour faire soubassement, trois étages en style néo-Louis XIII, et un étage de couronnement à lits de brique bicolore alternés • 19, rue Malebranche, à l'angle de la rue Le Goff, 5e, par Pasquier, 1891 : pour cet immeuble d'angle, l'architecte choisit (c'est le sens littéral du mot "éclectisme", art du bon choix) une pittoresque polychromie en contraste avec les immeubles classiques qu'il bâtit à côté • 43, rue des Dames, 17e, fin XIXe : fenêtres néogothiques se détachant sur des trumeaux de brique (pour d'autres immeubles néogothiques avec une touche de polychromie, 246-248, boulevard Voltaire, par H. Moncel et A. Waser, 1883, avec des carreaux de couleur émaillés) • 15, rue Daunou, par A. Goutier, fin XIXe : le néo-Louis XIII se croise ici avec des motifs anachroniques, colonnettes néogothiques et ornements végétaux plus ou moins naturalistes (feuilles de chêne, palmes, acanthes, choux frisés).*

L'Art nouveau

14, rue La Fontaine, Castel Béranger, 16e, par Hector Guimard pour Mme Veuve Fournier, 1895-1898.

Primé en 1898 au concours de façades organisé par la ville de Paris, le Castel Béranger tranche par l'usage de matériaux variés, la dissymétrie de la composition, la variété des baies, le dessin des ferronneries Il apparaît rétrospectivement comme la première manifestation de ce qu'on a appelé "l'Art nouveau", la plus flamboyante des multiples tentatives de trouver un art moderne au tournant du siècle. Par son talent, mais aussi par son sens de la publicité commerciale et à cause du succès – du scandale aussi – de ses entrées du métro, Hector Guimard est sans doute le plus célèbre des protagonistes de cet Art nouveau qu'il introduit à Paris en 1895 dans cet immeuble manifeste.

14, rue La Fontaine, 16e (ci-dessus et détail ci-contre).

VOIR AUSSI *142, avenue de Versailles, à l'angle de la rue Lancret, 16e, 1903-1905 • 17-21, rue La Fontaine, à l'angle de la rue Agar (ancienne rue Moderne), 16e, pour la Société immobilière de la rue Moderne et du 19, rue La Fontaine, 1909-1911 • 11, rue François-Millet, 16e, 1910.*

50, avenue Victor-Hugo, 16ᵉ.

L'Art nouveau gothique

50, avenue Victor-Hugo, 16ᵉ,
par Charles Plumet, 1901.

Un pan de l'Art nouveau est marqué par les leçons de Viollet-le-
Duc, comme les immeubles que
bâtit Charles Plumet, où les nus
qui s'infléchissent sans arrêt, les
corbeaux fondus dans les murs,
les colonnes sans chapiteau où
pénètrent les arcs s'inspirent de
l'art flamboyant.

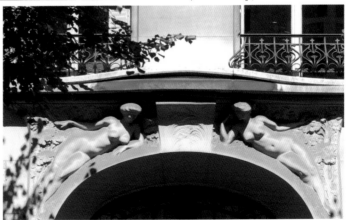

14, rue d'Abbeville, 10ᵉ (détail).

Céramique et grès flammé

14, rue d'Abbeville, 10ᵉ, par Alexandre et Édouard Autant, revêtement de grès flammé par Alexandre Bigot, 1901.

Les carreaux de céramique, de grès flammé ou de terre cuite émaillée, correspondent à un triple objectif : habiller des structures économiques, offrir des surfaces lavables, voire autonettoyantes, offrir un champ à l'invention chromatique et formelle pour mettre l'art dans la rue. Après le pionnier de la céramique architecturale, Léon Parvillée, plusieurs fabricants rivalisent pour offrir des "produits céramiques d'art pour constructions et industries" : Émile, puis Louis Müller, à

Ivry-sur-Seine ; Alexandre Bigot à Mer ; Adolphe Gentil et Eugène Bourdet, à Billancourt. Appliquée d'abord à des bâtiments dans le goût oriental, aux pavillons des expositions universelles de 1878

14, rue d'Abbeville, 10ᵉ.

et 1889, à des établissements thermaux et des restaurants, la céramique architecturale se répand dans l'architecture privée sans solution de continuité à partir des années 1880, dans les frises des baies ou en ornements ponctuels, mais elle marque surtout les années 1898-1912, où elle vise à couvrir la façade ou à s'allier aux structures nouvelles, fer ou béton. **VOIR AUSSI** *2, rue Eugène-Manuel, 16ᵉ, par Charles Klein, avec des ornements de grès flammé d'Émile Müller, 1897-1903 (voir p. 133)* • *29, avenue Rapp, 7ᵉ, par Jules Lavirotte, avec des grès d'Alexandre Bigot, 1900-1901* • *15, avenue Perrichont, 16ᵉ, par Joachim Richard, avec des céramiques de Gentil et Bourdet, 1907.*

Fer et brique vernissée

95, rue Montmartre, 2ᵉ,
par Sylvain Périssé, 1899.

Si Viollet-le-Duc dessine une façade d'immeuble à pan de fer et revêtement de brique vernissée dans une planche de ses *Entretiens sur l'architecture*, publiés en 1872, l'immeuble de la rue de l'Aqueduc (voir p. 129), bâti en 1878, reste une curiosité expérimentale. Le fer est d'abord employé de façon ponctuelle dans la construction des bow-windows, des oriels et des jardins d'hiver. Son emploi tend à s'élargir à l'ensemble de la structure constructive après l'exposition universelle de 1889, où il triomphe, mais seulement dix ans plus tard dans l'architecture des immeubles de rapport. Souvent associé à la brique vernissée, blanche et colorée, l'emploi du fer peut être limité au linteau de fenêtre, où il reste apparent selon les principes du rationalisme constructif ; mais on le trouve aussi sur cour, là où était employé précédemment le pan de bois (151, rue de Grenelle, 7ᵉ, par Jules Lavirotte, 1898), dans la façade sur rue des immeubles industriels et commerciaux (12, rue Gaillon, 2ᵉ, par Jacques Hermant, 1913), dans quelques immeubles d'avant-garde (Guimard, Sauvage) ou dans des constructions modestes comme cet immeuble de la rue Montmartre.

VOIR AUSSI *22, rue Debelleyme, 3ᵉ, par Léon Le Thorel, 1895, linteaux de fer, frises de faïence,*

95, rue Montmartre, 2ᵉ.

brique de deux couleurs • 62, rue Boursault, 17ᵉ, par René Simonet, 1901 : la brique de grès flammé de Bigot laisse apparente la structure métallique. Cet immeuble est, *après le 29, avenue Rapp, le second cité dans la plaquette publicitaire éditée par Bigot à l'occasion de l'Exposition universelle de 1900 et rééditée en 1902.*

La Belle Époque
Art nouveau, classicisme floral, néorococo : l'éclectisme épanoui

L'Art nouveau flambe pendant une dizaine d'années (quelques trois cents immeubles à Auteuil, une centaine à Passy), mais il se démode vite. Si les plus lucides saluent la première tentative réussie de créer un style original, propre au XIXᵉ siècle, sans attache avec le répertoire classique, d'autres y voient un style d'origine étrangère, anglais ou belge, dont les formes sans ancrage dans la tradition de l'architecture française paraissent ridicules, le "style nouille".

Dans la gamme de l'éclectisme, le style rococo est le plus en consonance avec l'Art nouveau. À son contact, ce néorococo évolue. La façade ondule, les ornements prennent un caractère plus réaliste, les guirlandes classiques font place à un répertoire floral plus naturel où dominent feuilles de lierre et grands tournesols. Cet éclectisme floral se poursuit jusqu'à la Première Guerre mondiale, alors que l'Art nouveau au sens strict tourne court.

Si les plus belles réalisations préparent les esprits à se libérer de l'histoire, comme le soulignera Le Corbusier, comme elles échappent au temps par leur qualité spatiale et formelle, la vogue de l'Art nouveau apparaît rétrospectivement aussi comme un des modes de l'éclectisme épanoui de la Belle Époque : façades ondulantes, dômes aux angles, décor abondant caractérisant tous les immeubles, quel que soit le style (au sens étroit du terme) choisi.

Le traitement ondulé des façades et de l'angle :
23, avenue de Messine, 8ᵉ, par Jules Lavirotte, sculptures de Léon Binet, 1907 (ci-contre), face au 23 *bis*, d'un éclectisme plus classique (décor de pivoines sur la porte d'angle, décor de feuilles de marronnier).
1, rue Dorian, 12ᵉ, par G. Danger, architecte, L. Beauté fils, sculpteur, 1912 (ci-dessous) : formes ondulantes, mais répertoire ornemental classique.

Porte vitrée et ferronnerie souple :
33, rue de Champ-de-Mars, 7ᵉ,
par Octave Raquin, 1910.

Le dessin plus libre des baies :
39, rue Scheffer, 16ᵉ,
par Ernest Herscher, 1911.

Des ornements naturalistes, fleurs et bêtes :
21-21 *bis*, rue Pierre-Leroux, 7ᵉ, par Paul Lahire,
1907, avec des escargots en céramique de Bigot.

Balcons à ferronneries "en coup de fouet" :
29, avenue Rapp, 7ᵉ,
par Jules Lavirotte.

De la Belle Époque à l'horreur de la guerre (1902-1918)
Une modernité interrompue

"Le nouveau règlement de voirie (…) desserre un peu les liens qui étouffaient l'architecture urbaine ; les saillies sont plus libres, les toitures plus élancées, les encorbellements autorisés dans une certaine mesure."

Eugène Hénard, *Études sur les transformations de Paris*, Motteroz, Paris, 1903.

Si, à certains égards, toute la période 1882-1914 peut apparaître comme une phase unique, marquée par la coexistence du classicisme éclectique et de l'Art nouveau floral, le développement du béton et surtout la coupure introduite par le règlement de 1902, qui libère l'invention dans les parties hautes, font époque.

Dans *L'Habitation humaine*, en 1892, Charles Garnier avait renouvelé les critiques de l'uniformité et de la pauvreté d'invention du Paris post-haussmannien : "Ces longues perspectives de façades régulières revêtues d'une ornementation vulgaire et toujours identique à elle-même font l'admiration de la foule et l'orgueil des propriétaires, mais attristent parfois l'œil de l'artiste."

Organisés de 1898 à 1914, à l'imitation de ce qui était fait à Bruxelles depuis 1872, les concours de façades de la ville de Paris sont une réponse à ces critiques : "Si par l'institution de notre concours, nous pouvions réagir contre la monotonie du style par trop primitif de ces immenses maisons aux façades unies que l'on connaît depuis trop longtemps, si nous pouvions enlever à nos rues cet aspect d'uniformité désespérante que leur donnent ces grands bâtiments aux façades desquels sont attachés ces sempiternels balcons des deuxième et quatrième étages, nous aurions fait œuvre utile", déclare le rapporteur du projet.

Le décret du 13 août 1902 autorise des saillies plus fortes et libère l'invention dans les parties hautes en modifiant

Louis Bonnier, Illustration
des conséquences du décret
projeté en 1902.

les règles de gabarit. La multiplication des bow-windows de pierre, des loggias et des rotondes en couronnement sont les conséquences bien visibles de cette nouvelle réglementation, les appartements situés aux derniers étant devenus des logements de luxe grâce aux nouveaux ascenseurs électriques. La révolution constructive du béton, qui bientôt vient éclipser le fer, favorise une esthétique de l'ossature et l'emploi des matériaux de revêtement mis au point dans la décennie précédente. Après le premier engouement, l'Art nouveau au sens strict s'essouffle un peu, mais ses divers avatars s'épanouissent dans des directions opposées (rationalisme postgothique et rococo floral), tandis que le classicisme connaît un beau regain avec l'épanouissement d'un style néo-Gabriel qui plaît à l'élégante bourgeoisie de la Belle Époque. En 1913, Guillaume Apollinaire chante dans *Zone* ce paysage urbain paisible et joyeux : "À la fin tu es las de ce monde ancien / Bergère ô tour Eiffel le troupeau des ponts bêle ce matin (…) J'ai vu ce matin une jolie rue dont j'ai oublié le nom / Neuve et propre du soleil elle était le clairon." Au matin du 3 août 1914, un autre clairon se fait entendre, qui va bientôt faire entrer l'Europe dans l'horreur de la guerre de masse mécanisée. Paris n'est touché que de loin par quelques obus de la Grosse Bertha, mais c'est toute une génération, la plus douée et la plus heureuse du siècle, qui disparaît, et avec elle la gaîté des grands soleils de la Belle Époque.

Traits et motifs distinctifs

Grande porte vitrée : 7, avenue Émile-Deschanel, 7ᵉ
(ci-contre), par P. Girardot, 1908, porte vitrée à ferrures
Louis XVI, et 11, avenue Émile-Deschanel, 7ᵉ (ci-dessous),
par Gaston Granjean, 1911, porte vitrée à ferrures Art
nouveau, un concours d'élégance au Champ-de-Mars.

**Façade sculptée en haut relief, à ornements dila-
tées, gros bossages, consoles zoomorphes :**
1, avenue de l'Observatoire, 6ᵉ, consoles en forme
d'éléphant.

Cours ouvertes en façade : 30, avenue Marceau, 8ᵉ, par André Granet, 1914 ; l'immeuble libéré de la rigueur de l'alignement.

Première phase de diffusion du béton et recherches sur les revêtements : la structure habillée du 25 *bis*, rue Benjamin-Franklin, 16ᵉ, par Auguste Perret, 1903.

Libération des parties hautes : 132-134, rue de Courcelles, 17ᵉ, par Théo Petit, 1907 ; dômes fonctionnant comme un signal urbain à l'angle de la rue Cardinet, au débouché de l'avenue de Wagram.

Le beau béton

25 bis, rue Benjamin-Franklin, 16ᵉ,
par Auguste Perret, 1903.

Lancé par François Hennebique avec un sens aigu de la publicité, le béton s'introduit rapidement dans la construction parisienne, mais les architectes hésitent sur son traitement esthétique. Dans le premier immeuble bâti en béton armé Hennebique, rue Danton, en 1901 (voir pp. 48 et 145), la façade couverte d'un ciment imitant la pierre masque l'innovation technique.

Dans cet immeuble de la rue Benjamin-Franklin, bâti sur un petit terrain acheté par l'entreprise familiale des frères Perret, Auguste fait la démonstration publique des possibilités techniques, distributives et décoratives du nouveau matériau en s'appuyant sur la leçon structuraliste de Viollet-le-Duc : le mur réduit à un squelette permet un plan libre. Selon le libre choix de l'architecte et du commanditaire, le béton peut être laissé nu ou être revêtu de céramiques, l'essentiel étant de laisser la structure apparente. Sur la rue, des carreaux de grès flammé à motifs floraux par Alexandre Bigot couvrent les pleins entre les poteaux, tandis que sur l'arrière la cage d'escalier est fermée d'une paroi de pavés de verre, l'un de ses premiers emplois. Le parti traditionnel est encore lisible (un salon central encadré par la salle à manger et une grande chambre, avec balcons, et des chambres plus petites), mais il semble com-

25 *bis*, rue Benjamin-Franklin, 16ᵉ.

primé vers l'arrière par les murs mitoyens, ce qui dégage une sorte de petite cour antérieure structurée par les poteaux aux angles des cinq pièces ouvrant sur la rue.

VOIR AUSSI *40, rue Boileau, 16ᵉ, par J. Richard, 1908 : structure de béton affirmée en façade, revêtu de céramique imitant avec humour les rivets des poutres métalliques, et balcons à décor floral • 72-74, boulevard Vincent-Auriol, 13ᵉ, par François Le Cœur, 1911-1912 : façade à pans de ciment armé avec remplissage de brique • 26, rue Vavin, 6ᵉ, par Henri Sauvage, 1912 : structure de béton revêtue de céramique blanche biseautée ponctuée de céramique de couleur comme dans le métro parisien (pour la typologie de l'immeuble à gradins, voir p. 161).*

199-201, rue de Charenton, 12ᵉ.

La brique calepinée

67, rue des Meuniers, 12ᵉ,
par Louis Bonnier (signé du nom
de son fils, Jacques), 1912.

Pour cet immeuble "à petits
loyers", Louis Bonnier cherche à
créer le maximum d'effets avec
le minimum de moyens : double
ondulation convexe, concave
à l'angle, calepinage varié des
briques de couleur, en saillie ou
en défoncé, tirants apparents et
poutrelles rivetées en dessus de
fenêtres. Il s'agit là sans doute
du chef-d'œuvre d'une famille
d'immeubles destinés à des locations modestes, dont les effets de
brique décorative cherchent à relever la simplicité. Ces immeubles,
construits par des commerçants
et des rentiers pour valoriser leur
capital, sont nombreux dans les
11ᵉ, 12ᵉ, 13ᵉ, 18ᵉ, 19ᵉ et 20ᵉ arrondissements entre 1885 et 1914.
Ce type est repris après la guerre
dans les immeubles HBM de la
petite ceinture.

VOIR AUSSI *31 et 31 bis, rue Or-*
fila, 20ᵉ, par Adrien-René Dubuis-
son, 1903 : premier immeuble
parisien en brique silico-calcaire
• 43, rue des Couronnes, 20ᵉ,
par Joseph Charlet et F. Perrin,
1905 : "édifié dans un quartier
populeux, destiné à des locations
modestes", bâti en un an et primé
au concours de façades, briques
rouge vif et bleues sur un mur de
briques jaunes. • 19, rue de Nice,
11ᵉ, par Clément Feugueur, 1909
• 24, boulevard Massena, 13ᵉ, par
J.-B. Mennery, 1912-1913 : traces
d'architecture savante avec des
fenêtres thermales au-dessus de
l'entrée et en plein cintre sous le
balcon en encorbellement.

L'animation des parties hautes

199-201, rue de Charenton, 12ᵉ,
par Raoul Brandon, façade primée
en 1911.

Dans la première décennie du
xxᵉ siècle, un motif nouveau
s'impose sur la façade : la loggia
haute. Souvent tendue entre les
bow-windows au quatrième ou
au cinquième étage, elle parti-
cipe de la nouvelle animation des
parties hautes qui caractérise la
Belle Époque. Ici, la loggia vigou-
reusement rythmée reprend, en
l'amplifiant, le rythme des grosses
consoles qui soutiennent le balcon
du deuxième étage. Elle équilibre, en les encadrant, les deux
travées de bow-windows couron-
nées chacunes par une toiture
aiguë. Feuilles et fleurs en bas
relief viennent adoucir la franchise
constructive.

...ue des Meuniers, 12ᵉ.

67, rue des Meuniers, 12ᵉ (détail).

199-201, rue de Charenton, 12ᵉ (détail).

VOIR AUSSI *7, rue Bridaine, 17ᵉ, par A. Verdonnet, 1902 : petite loggia de bois sur l'axe, à comparer à l'immeuble du n° 11, où les bow-windows sont couronnés par deux loggias de pierre • 7, rue Le Tasse, 16ᵉ, par Louis Sorel, 1904-1905 • 85, rue de Courcelles, 17ᵉ, par Léon Chesnay, 1907 : loggia du cinquième étage à colonnes de grès flammé soutenue par un encorbellement sculpté de feuilles de marronniers, portant le balcon de couronnement • 128-130, rue Lecourbe, 15ᵉ, par Léon Chesnay, 1907 : loggia à colonnes de fonte portant un balcon • 48, avenue du Président-Wilson, 16ᵉ, par Charles Adda, 1908 • 11, avenue Émile-Deschanel, 7ᵉ, par Grandjean, 1911 • 66, rue Falguière, 15ᵉ, par Ernest Billecocq, 1913 : loggia toute simple en accord avec l'architecture de brique de cet immeuble modeste.*

231 *bis*, rue La Fayette, 10ᵉ (détail).

Dômes et tourelles
231 bis, *rue La Fayette, 10ᵉ, par Charles Thion, 1904.*

Au tournant du siècle, le pan coupé ou arrondi des immeubles d'angle favorise le développement d'un motif en hauteur : grandes lucarnes frontonnées, tourelles pittoresques, dômes de toutes sortes qui, marquant de loin les carrefours, viennent scander la promenade. Version urbaine du belvédère, ces dômes et ces tourelles sont, avant 1902, l'objet de dérogations pour sortir du gabarit, dérogations souvent obtenues en raison de leur "aspect monumental et artistique" (voir p. 25) : "Il

231 *bis*, rue La Fayette, 10ᵉ.

29, boulevard de Courcelles, 8ᵉ.

Autour de l'Art nouveau
29, boulevard de Courcelles, 8ᵉ,
par Xavier Schoellkopf, 1902.

À côté des créations élaborées de Guimard ou de Lavirotte, il existe toute une série d'immeubles qui ne retiennent de l'Art nouveau que des motifs ou des poncifs, le traitement des bow-windows ou des consoles, le dessin en coup de fouet des ferronneries des portes vitrées et des balcons, ou un répertoire décoratif floral – roses, pivoines et tournesols – qui finit par rejoindre le répertoire rocaille. Ancien élève de Guadet et adepte de l'Art nouveau, Xavier Schoellkopf déclarait : "Je ne bâtis pas, je sculpte en plein bloc."

est à peu près entendu que ces silhouettes accidentées, bien que se répétant beaucoup, donnent plus de variété à nos rues, et qu'à ce titre elles contribuent à leur embellissement", écrit, le 3 juillet 1901, l'architecte Jean-Louis Pascal dans son rapport sur la demande d'autorisation d'élever une coupole à une hauteur extra-réglementaire dans une construction d'angle entre l'avenue Ledru-Rollin et la rue du Faubourg-Saint-Antoine. Le règlement de 1902 les autorise au fil des rues, comme ici.

VOIR AUSSI *Angle de l'avenue de l'Observatoire et de la rue Auguste-Comte, 6ᵉ, 1900 • Angle de l'avenue de la Grande-Armée et de la rue des Acacias, 17ᵉ, par Gustave Rives, 1902 • Angle du boulevard Saint-Germain et de la rue Saint-Jacques, 5ᵉ, par Lobrot, 1902.*

29, boulevard de Courcelles, 8ᵉ (détail).

1, avenue Émile-Deschanel, 7ᵉ (détail).

VOIR AUSSI *24, rue Saint-Augustin, 2ᵉ, par J. Despras, 1903 : ferronnerie en coup de fouet • 14, villa Guibert, 16ᵉ, par Edmond Lamoureux, 1903 • 13-15 et 21, boulevard Lannes, 1905-1906, 29, rue Octave-Feuillet, 16ᵉ, 1907, et 36, rue de Tocqueville, 17ᵉ, par Charles Plumet • 62, rue des Vignes, 16ᵉ, par Charles Blanche, 1908 • 19, boulevard Delessert, 16ᵉ, par Albert Sélonier, 1909 • 3, rue Louis-Boilly, 16ᵉ, par Charles Labro, 1911 • 9, rue du Père-Brottier (ancienne rue François-Gérard), 16ᵉ, par G. Plateau et J. Duval, 1911.*

Le néo-Louis XVI

1, avenue Émile-Deschanel, 7ᵉ, par René Sergent, 1908.

L'architecte René Sergent se fait le héraut d'une rupture avec l'éclectisme et d'un retour à une imitation plus exacte de ce qui apparaît comme le comble de la pureté du goût français, le style de Gabriel.

VOIR AUSSI *5 bis, rue Le Tasse, 16ᵉ, pour Mme Veuve Mahieu, 1905 • 79, avenue Henri-Martin, et 6, avenue Camoëns, 16ᵉ, 1907 • 148 bis, rue de Longchamp, 16ᵉ, pour la famille Sulzbach, dont l'hôtel particulier est mitoyen, 1913.*

1, avenue Émile-Deschanel, 7ᵉ.

avenue de Lowendal, 7ᵉ.

12, avenue de Lowendal, 7ᵉ.

19-21, rue Chapon, 3ᵉ.

Le "post-classicisme floral"

12, avenue de Lowendal, 7ᵉ, par Postel-Vinay, 1912.

Le culte pour le XVIIIᵉ siècle, considéré alors comme l'âge d'or du goût français, favorise une nouvelle forme d'éclectisme où les motifs du répertoire naturaliste Art nouveau se mêlent à des éléments du répertoire rococo, voire classique. Les premières manifestations de ce "post-classicisme floral", comme nous proposons de le baptiser, se multiplient autour de 1900, dans l'euphorie qui accompagne l'Exposition universelle ; il se voit concurrencé vers 1905-1906, mais non remplacé, par le goût néo-Louis XVI.

VOIR AUSSI *3-5, rue Donizetti, 16ᵉ, 1901 : balcon corbeille néorococo*

• 99, boulevard de Courcelles, 8ᵉ, 1902 • 1 et 2, rue Louis-Morard, 14ᵉ : de grands tournesols ornent ces deux immeubles qui font angle sur la rue des Plantes. • 14, rue de l'Abbé-de-l'Épée, 5ᵉ, par Gaston Le Roy, 1909 : de grandes palmes et feuillages, entre Art nouveau et néorocaille, ornent le portail.

Le classicisme éclectique tardif

19-21, rue Chapon, 3ᵉ, par Lesage et Miltgen, 1913.

En dépit des multiples expériences parallèles et contradictoires, la fortune du classicisme éclectique perdure jusqu'à la guerre, et même un peu après, mais les références se déplacent. Les ornements se dilatent, le sculpteur, qui signe de plus en plus souvent à côté de l'architecte, impose sa marque. Les architectes éclectiques continuent de se tourner vers le répertoire rococo en réponse au style fleuri de l'Art nouveau, ou se mettent à l'école de Gabriel, comme René Sergent, mais on observe aussi un regain néobaroque qui exploite toutes les ressources d'animation du règlement de 1902 : soubassement orné de gros bossages arrondis, bow-windows de pierre faisant onduler la façade, grasses consoles, mascarons épanouis et souriantes cariatides.

VOIR AUSSI *2, rue Guynemer, 6ᵉ, par Louis Perrin, 1914 : néo-Louis XIII mâtiné de motifs Louis XIV • 170, boulevard Haussmann, 8ᵉ, par Charles Lefèvre, 1911.*

Le logement social (1848-1940)
Des cités ouvrières aux HBM

"La jouissance du beau est l'apanage de tous les hommes. Le beau ne peut être réalisé pour l'ouvrier dans sa demeure que dans une mesure modeste : il résulte spécialement pour lui d'une heureuse variété. (…) La beauté pittoresque étant la seule qui ne soit pas coûteuse, on n'en peut priver le pauvre."

Louis Cloquet, *Traité d'architecture*, Paris/Liège, 1911, rééd. 1922.

Dès la monarchie de Juillet, la question ouvrière est à l'ordre du jour : médecins et hygiénistes, catholiques libéraux et socialistes s'inquiètent des conséquences de la révolution industrielle et de l'émigration massive vers les villes du nouveau prolétariat paysan. La révolution de 1848 avait mis à l'ordre du jour l'idée de "cités ouvrières", offrant "des logements sains, bien aérés et d'un prix inférieur à ce que les ouvriers paient pour des logis insalubres".

À partir de 1880, la question des habitations populaires sort de l'expérimentation et devient l'objet d'un large débat public, comme en témoignent plusieurs ouvrages (Émile Cacheux et Émile Müller, *Habitations ouvrières en tous pays*, Paris, 1878 ; Émile Cacheux, *État en 1885 des habitations ouvrières parisiennes*, Laval, 1882 ; Georges Picot, *Un devoir social et les logements ouvriers*, Paris, 1885). Tandis que le conseil municipal multiplie les rapports sans suite (la mise en place du "casier sanitaire des maisons de Paris" ne s'achèvera qu'en 1904), sociétés philanthropiques et coopératives ouvrières prennent l'initiative : Société philanthropique (1888), Société française des habitations à bon marché (1889), Groupe des maisons

Projet d'immeuble à bon marché
pour la Fondation Rothschild :
une utopie réaliste.
Collection Maciet.

ouvrières (1889), Société des logements hygiéniques à bon marché (1903), Fondation Rothschild (1904), etc. La loi Siegfried (1894) définit les règles de construction et de gestion de ces habitations à bon marché : aides au financement, déductions fiscales et plafond de 4 % de rendement annuel. De 1900 à 1911, les loyers subissent une hausse considérable (de 20 à 40 %) et, en 1912, la ville s'engage à son tour, ouvrant un concours pour la construction sur deux terrains (avenue Émile-Zola, 15e, et rue Henri-Becque, 13e). Interrompu par la guerre, l'engagement direct de la ville ne se concrétise qu'après. En 1919 est voté le déclassement de l'enceinte de Thiers, bâtie en 1840, dont un quart est affecté aux habitations à bon marché et à loyer modéré. De 1923 à 1927, treize ensembles d'HBM (habitations à bon marché) sont réalisés tout autour de Paris par l'Office public d'HBM de la ville de Paris et par la Régie immobilière de la ville de Paris. La règle de l'économie, l'utopie sociale et la pratique assez systématique de concours ouverts font paradoxalement de ces programmes un des hauts lieux de l'invention architecturale.

Traits et motifs distinctifs

Brique économique et fenêtres de petite taille :
5, rue Jeanne-d'Arc, par Georges Guyon pour le Groupe
des maisons ouvrières, 1901.

**Des réalisations signées par les sociétés philan-
thropiques et les coopératives ouvrières :**
"L'Avenir du prolétariat", 77, rue du Faubourg-Saint-
Jacques, 14ᵉ.

**La brique ornée, une beauté pittoresque
peu coûteuse :** 137, boulevard de l'Hôpital, 13ᵉ.

Des ensembles concertés, une architecture répétitive : les HBM de la rue Édouard-Robert , 12ᵉ, par Alexandre Maistrasse et Léon Besnard, 1920-1924.

Passage d'Enfer, 14ᵉ.

Les cités ouvrières de Napoléon III

Passage d'Enfer, 14ᵉ, par Félix Pigeory pour M. Cazaux, vers 1860.

En 1852, Louis Napoléon Bonaparte, prince-président puis empereur, organise un concours pour la construction d'établissements modèles dans les arrondissements les plus populeux, et dans les années suivantes subventionne une douzaine de projets, logements pour petits ménages ou chambres d'hôtels garnis pour ouvriers célibataires (cité Ponthieu, rue du Champ-de-Mars, 7ᵉ, par Veugny ; cité Fabre, rue d'Odessa, 14ᵉ, par Gence ; cité Rozier, boulevard Saint-Jacques, 14ᵉ ; cité Aublet, avenue des Gobelins, 13ᵉ, etc.).

La cité du passage d'Enfer, entre la rue Campagne-Première et le boulevard Raspail, est typique de cette architecture toute simple : une série d'immeubles identiques en moellon enduit de plâtre, de trois étages carrés, ornés seulement de trois cordons et d'une mince corniche filant sur toute la longueur du passage.

VOIR AUSSI *Cité Napoléon, 58, rue de Rochechouart, 9ᵉ, par Marie-Gabriel Veugny pour une société privée, 1849-1851, d'inspiration fouriériste, subventionnée par le prince-président.*

Immeubles industriels

Rue des Immeubles-Industriels, 11ᵉ, par Émile Leménil, 1869-1873.

Cet ensemble a été bâti pour les artisans du faubourg Saint-Antoine, des deux côtés d'une rue neuve. Les bâtiments sont équipés en sous-sol de machines à vapeur alimentant en force motrice les ateliers sur rue et chauffant l'eau des logements sur cour. Ils se retournent aux deux extrémités, sur la rue du Faubourg-Saint-Antoine d'un côté, sur le boulevard Voltaire de l'autre, pour abriter des commerces divers. Sur toute la longueur de la rue et les retours,

Rue des Immeubles-Industriels, 11ᵉ.

Rue des Immeubles-Industriels, 11ᵉ (détail).

les immeubles présentent une ordonnance uniforme de colonnes de fonte, d'arcs et de linteaux de brique et de trumeaux de moellon enduit, dont l'unité est malheureusement altérée par l'absence de concertation des propriétaires actuels. Cet ensemble reçut la médaille d'or de l'Exposition universelle de 1878.

VOIR AUSSI 62, avenue Jean-Jaurès, 19ᵉ, par Cintrat pour la Société philanthropique, Fondation Marie-Souvestre, 1908, logements et ateliers familiaux fournis en force motrice.

Philanthropie et degré zéro de l'architecture

45, rue Jeanne-d'Arc, 13ᵉ, par Wilbrod Chabrol pour la Société philanthropique, 1888, et 5, rue Jeanne-d'Arc, 13ᵉ, par Georges Guyon, 1900 (façade primée en 1901).

En 1888, avec le legs du banquier Michel Heine, la Société philanthropique bâtit un premier immeuble de 35 logements rue Jeanne-d'Arc, sur les dessins de Wilbrod Chabrol, grand prix de Rome en 1862. Influence anglaise, raisons économiques ou parti esthétique de relever par la couleur la simplicité des formes, le choix de la brique, préférée ici

45, rue Jeanne-d'Arc, 13ᵉ.

5, rue Jeanne-d'Arc, 13ᵉ.

Modernité sociale et formelle

7, rue de Trétaigne, 18ᵉ, par Henri Sauvage et Charles Sarazin pour la Société des logements hygiéniques à bon marché, 1903-1904.

Fondée en 1903 par un groupe de personnalités, dont l'architecte Frantz Jourdain, la Société des logements hygiéniques à bon marché érige cinq immeubles à Paris entre 1903 et 1914. Primé au concours des HBM en 1904, publié dans la revue *L'Art décoratif*, le premier immeuble, dessiné par le jeune Henri Sauvage, tranche par sa modernité sociale, constructive et formelle : équipements collectifs, sanitaires et culturels (épicerie coopérative, buvette et "restaurant hygiénique", université populaire avec salle de

au moellon enduit traditionnel, se révèle prémonitoire du tournant durable qui l'associe aux immeubles populaires.

En 1900, pour le Groupe des maisons ouvrières, l'architecte Georges Guyon cherche à donner un peu de caractère à un autre immeuble de la même rue, au 5, en alternant travées simples et doubles, et en soulignant les allèges par un jeu de brique polychrome, essai primé par le Comité de patronage en 1901.

VOIR AUSSI *65, boulevard de Grenelle, 15ᵉ, par Wilbrod Chabrol, 1889 • 3, avenue de Saint-Mandé, 12ᵉ, par Wilbrod Chabrol, 1891 • 35, rue d'Hautpoul, 19ᵉ, par Cintrat, 1896 • 77, rue de Clignancourt, 18ᵉ, par Duquesne, 1898.*

7, rue de Trétaigne, 18ᵉ.

8, rue de Prague, 12ᵉ.

conférence et bibliothèque, bains-douches, toit-terrasse faisant solarium – supprimé ultérieurement), structure constructive laissée apparente (ossature de béton armé couverte seulement d'un lait de chaux et remplissage de brique) et rationalisme formel d'une ordonnance, reposant sur le rythme des baies, qui exprime les fonctions des différentes pièces par la variété de leur forme (bow-window pour le salon, fenêtre traditionnelle pour la chambre, baie horizontale pour la cuisine).
VOIR AUSSI *20, rue Sévero, 14ᵉ, 1905 • 1, rue de la Chine, 20ᵉ, par Henri Sauvage et Charles Sarazin, 1907-1908 : murs de brique porteurs ornés de bandes de brique vernissée et de cabochons de grès flammé • 1, rue Ferdinand-Flocon, 18ᵉ, 1912-1913.*

La Fondation Rothschild

8, rue de Prague (rues Charles-Baudelaire et Théophile-Roussel), 12ᵉ, par l'Agence de la Fondation Rothschild pour la même fondation, 1909.

En 1904, à l'initiative des trois barons Alphonse, Gustave et Edmond de Rothschild, est créée la Fondation Rothschild pour l'amélioration de l'existence sociale des travailleurs. Un concours d'architecture est lancé auquel participent 127 architectes, dont Anatole de Baudot, Tony Garnier et Augustin Rey – qui fut primé.

Deux ensembles sont inaugurés en 1908, rue de Belleville et rue du Marché-Popincourt, le troisième, rue de Prague, l'année suivante.
Cet ensemble est une "ville ouvrière" avec ses 321 logements et ses services intégrés (lavoir, bains-douches, école, garderie, dispensaire, école ménagère, cuisine, boutiques en coopérative). La structure est plus timide que dans l'immeuble de Sauvage, le béton n'étant utilisé que pour les cages d'escalier. Le porche monumental est orné de bas-reliefs et les façades animées par la variété des baies, balcons et bow-windows, critiquées au conseil municipal : "On ferait mieux de s'occuper un peu plus du bon marché et

un peu moins des façades." L'habitation ouvrière ne se distingue plus guère des immeubles bourgeois de deuxième catégorie que par ses matériaux plus simples – brique et pierre – et l'intégration de services qui exprime le souci d'offrir à l'ouvrier tout ce qui est nécessaire à une vie saine et honnête.

VOIR AUSSI *2-8, rue du Marché-Popincourt, 11ᵉ, 1907 • 117, rue de Belleville, 19ᵉ, 1908 • 11, rue Bargue, 15ᵉ, 1912 • 256, rue Marcadet et 221, rue Championnet, 18ᵉ, 1913-1919.*

L'immeuble-plot
5, rue de la Saïda, 15ᵉ, par Auguste Labussière pour la Fondation Groupe des maisons ouvrières, 1912-1916.

Créé en 1889, le Groupe des maisons ouvrières, devenu en 1905 Fondation Groupe des maisons ouvrières, a une activité aussi importante que la Fondation Rothschild grâce à l'appui de Mme Lebaudy. Si les services collectifs qu'elle propose sont plus réduits que dans les ensembles Rothschild, le parti architectural est plus novateur : plan en plots juxtaposés reliés par des cages d'escalier ouvertes rompant avec l'alignement de la rue, ossature de béton laissée apparente avec remplissage de brique et toit-terrasse, comme chez Sauvage. Une réhabilitation peu sensible a malheureusement défiguré récemment une partie de cet ensemble remarquable.

VOIR AUSSI *5, rue Ernest-Lefèvre, 20ᵉ, 1905 : plots à redents reliés par les cages d'escalier fermées • 6, rue de Cronstadt, 15ᵉ, 1913 : cour ouverte.*

Les habitations à bon marché de la ville de Paris
137, boulevard de l'Hôpital, 23-25, rue de Campo-Formio et 26-34, rue Pinel, 13ᵉ, par Joseph Charlet et F. Perrin, 1922-1926.

Après avoir laissé toute l'initiative aux fondations philanthropiques, les pouvoirs publics se décident à intervenir sous la pression des élus radicaux et socialistes. Après deux rapports, en 1911 et 1912, sur la crise du logement à Paris, la Ville réserve des terrains et lance plusieurs concours. Mais tout est suspendu par la guerre. En 1919-1920, l'effort municipal est relancé : la ville fait bâtir, directement par ses propres services d'architecture ou indirectement par l'Office public des HBM de la ville de Paris, créé en 1914 et confirmé en 1919, soit sur des ter-

5, rue de la Saïda, 15ᵉ.

23-25, rue de Campo-Formio, 13ᵉ. Vue intérieure de l'îlot.

137, boulevard de l'Hôpital, 13ᵉ (détail).

13, rue des Amiraux, 18ᵉ.

rains lui appartenant intra-muros, soit sur les terrains déclassés de l'enceinte de Thiers.

L'ensemble, qui ouvre sur le boulevard de l'Hôpital, entre les rues de Campo-Formio et Pinel, offre une grande variété de volumes sur l'arrière, une silhouette animée par le débord des toits sur le boulevard, mais aussi tout un jeu complexe et pittoresque de brique vernissée, qui renoue avec les recherches sur la polychromie d'avant-guerre, moyen commode pour donner un air de gaîté à des immeubles tout simples.

VOIR AUSSI *6, rue Larrey, 5ᵉ, par Jean-Georges Albenque et Eugène Gonnot, 1923-1926 • 59, rue Croulebarbe, 13ᵉ, 1923-1927, 9-15 et 8-16, rue des Quatre-Frères-Peignot, 15ᵉ, 1926, par Alexandre Maistrasse • 2, rue Duc, 18ᵉ, par Léon Besnard, 1922-1925 • 97-99, avenue Simon-Bolivar, 19ᵉ, par Charles Heublès, 1924-1930 • 140-156, rue de Ménilmontant, 20ᵉ, par Louis Bonnier, 1922-1926.*

L'immeuble à gradins

13, rue des Amiraux, 18ᵉ, par Henri Sauvage, HBM de la Ville de Paris, 1922-1926.

En 1909, inspiré par des modèles de sanatorium, Henri Sauvage élabore un projet de maisons ouvrières, dont "les étages successifs sont en retrait les uns des autres de bas en haut de la façade, créant ainsi sur la rue un cône d'air et de lumière très ouvert". Il fait breveter ce système d'immeuble à gradins en 1912-1913. Expérimenté en 1912 dans la "maison à gradins sportive" de la rue Vavin, le système est proposé pour un grand terrain rue des Amiraux en 1916 et, après plusieurs projets rejetés, approuvé en 1922. Henri Sauvage met en œuvre ici, à l'échelle de tout un îlot, pour un grand ensemble de 78 logements à bon marché, la solution éprouvée en 1912 sur un immeuble bourgeois. Le retrait

de la façade en gradins successifs permet d'éclairer la rue, de faire pénétrer la lumière jusque dans les appartements les plus bas et de ménager devant chacun une terrasse. Dans le vide central est ménagée une piscine surmontée d'une cour intérieure. La façade, revêtue de carreaux blancs biseautés qui accrochent la lumière, est un manifeste puriste autant qu'hygiéniste.

13, rue des Amiraux, 18ᵉ (détail).

L'immeuble comme modèle universel
Typologies particulières

"Somme toute, les rues comme
la rue Réaumur, qui sont purement
commerciales, ont peut-être plus
de variété et de caractère que
les rues réservées à l'habitation."
Jules Guadet, *Éléments de théorie de l'architecture*, 1902.

L e plan de Gomboust en 1652 distinguait églises et couvents, palais et hôtels, ainsi que quelques bâtiments publics, représentés en élévation cavalière, des maisons ordinaires figurées par de simples pointillés. L'apparition de l'hôtel particulier à corps principal sur rue au cours du XVIIe siècle, le développement de l'immeuble de rapport à la fin du XVIIIe et sa monumentalisation au milieu du XIXe brouillent ce partage primitif. L'immeuble de rapport jouant un rôle central dans la restructuration du nouveau Paris, les édifices publics traditionnels (fontaines, théâtres) viennent s'y adosser, tandis que les nouveaux programmes de l'âge de l'Industrie se glissent dans cette structure, d'autant

Un immeuble industriel 25, rue Saint-Marc, 2ᵉ, par Louis Thalheimer, 1894. Collection Maciet.

plus facilement que les matériaux récemment apparus et le répertoire éclectique permettent d'affirmer le caractère spécifique de ces types hybrides : immeubles commerciaux, où les surfaces de vente et d'exposition gagnent les étages selon une forme intermédiaire entre l'immeuble à boutiques et le grand magasin ; immeubles industriels avec ateliers ou bureaux. Les uns et les autres restent souvent couplés avec un ou plusieurs appartements dans les étages supérieurs, formule inverse de celle de l'hôtel particulier-immeuble de rapport. On trouve aussi des immeubles à clientèle spécifique – artistes ou voyageurs – qui, sur la rue, ne se distinguent que par leurs baies ou leurs enseignes.

Traits et motifs distinctifs

Une iconographie parlante : "Société de Géographie", 184, boulevard Saint-Germain, 6ᵉ, deux cariatides tenant des rames de part et d'autre du globe terrestre au-dessus du portail.

La destination et la distribution particulière exprimée en façade ; fer et verre pour les commerces, ateliers, bureaux sur trois ou quatre étages, pierre de taille pour les logements dans les étages supérieurs de l'immeuble commercial ou industriel : "Maison Leclaire" (papiers peints, peinture, vitrerie) 25, rue Bleue, 9ᵉ, par Henri Bertrand, sculptures par les frères Codi, 1911.

La raison sociale intégrée à la façade : "La France, journal du soir", 142, rue Montmartre, 2e, par Ferdinand Bal, 1885.

Les grandes baies orientées au nord de l'immeuble d'ateliers d'artiste : 51, rue Olivier-Métra, 20e, par Alex Wiesengrun, 1982.

L'immeuble-fontaine

Immeuble avec fontaine, place Gaillon, 2ᵉ, par Louis Visconti, 1828.

Comme la fontaine de Trevi, adossée à un palais romain, la fontaine Gaillon est adossée à un immeuble dessiné pour être en accord avec elle et lui servir de cadre : "M. Viault me chargea, comme architecte, de disposer la maison de manière à recevoir une fontaine en la rendant indépendante de la maison", écrit Visconti dans son autobiographie. "Maison avec monument d'utilité publique", comme la qualifie Thiollet, qui en publie le dessin, "cette maison peut être mise au rang des monuments curieux à voir dans Paris : elle est élégante, et l'architecture et la sculpture semblent se disputer l'avantage de plaire aux étrangers qui viennent la visiter."

VOIR AUSSI *Fontaine Molière, à l'angle du 28, rue Molière et du 37, rue de Richelieu, 1ᵉʳ, par Louis Visconti, 1844 • Fontaine Saint-Michel, place Saint-Michel, 6ᵉ, par Gabriel Davioud, 1856-1860 : les immeubles masqués par la fontaine ne participent plus à la composition visuelle de l'angle.*

Place Gaillon, 2ᵉ.

Théâtre du Châtelet, 1ᵉʳ.

L'immeuble-salle de spectacle

Les théâtres de la place du Châtelet, 1ᵉʳ, par Gabriel Davioud, 1859-1862.

"On avait imposé à cet artiste un programme déplorable qui l'obligeait à étouffer ses théâtres dans une enveloppe de boutiques et d'appartements", note le chroniqueur de l'*Encyclopédie d'architecture* en 1862. Les théâtres qui encadrent la place du Châtelet restructurée sont pris en effet latéralement dans une enveloppe qui les assimile à des immeubles, les boutiques, cafés et restaurants du rez-de-chaussée revenant même en façade.

VOIR AUSSI *216, boulevard Raspail, 14ᵉ, Studio Raspail et appartements, par Bruno Elkouken, 1932 • 65, rue Saint-Didier, 16ᵉ, cinéma Victor Hugo-Pathé et appartements, par Jean Charaval et Marcel Mélendès, vers 1928.*

L'immeuble commercial

5, rue d'Uzès, 2ᵉ, par F. Guillaume, 1878.

Aujourd'hui, barres et gratte-ciel d'habitation ressemblent aux immeubles de bureaux ; au XIXᵉ siècle, c'est un peu le contraire : immeubles commerciaux et industriels apparaissent comme une simple variante de l'immeuble de rapport. Pour cet immeuble (publié dans la *Revue générale d'architecture*, 1880, pl. 30-36), F. Guillaume propose une solution qui fait florès : le rez-de-chaussée

5, rue d'Uzès, 2ᵉ.

et l'entresol traités en socle, et les étages supérieurs laissés à des logements ressemblent à ceux des immeubles d'habitation. Mais il se distingue surtout par l'ampleur des baies des principaux étages autorisée par la structure métallique, laissée apparente (voir également le 19-21 de la même rue).

VOIR AUSSI *25, rue du Faubourg-Saint-Antoine, 11ᵉ, immeuble Wimphen-Le Bih, par Charles de Montalto, 1893-1894 : trois étages pour la vente, trois étages pour le logement • 24, rue Saint-Marc, 2ᵉ, par Louis Thalheimer, 1894 (p. 163) • 20, rue Bergère, 9ᵉ, par Paul Friesé, 1905 • 6, rue de Hanovre, 2ᵉ, par Adolphe Bocage,1908 (p. 48).*

Une rue d'immeubles commerciaux

118, rue Réaumur, 2ᵉ, par Charles Guimard de Montarnal, primé en 1900.

La rue Réaumur, percée en 1895-1896, fut bordée dans les dix années suivantes d'immeubles commerciaux, pour la plupart de tissus en gros : magasin, ateliers ou salles d'exposition, de stockage, bureaux et quelquefois un appartement de réception ou d'habitation se superposent. Plusieurs furent primés pour avoir su prendre un caractère convenant à ces édifices mixtes, comme le souligne le rapport primant le n° 119 : "L'ensemble de cette façade très franchement voulu a de la grandeur et fait bien comprendre la destination de l'immeuble."

Les colonnes métalliques et les grandes verrières permettent en

118, rue Réaumur, 2ᵉ.

rue Réaumur, 2ᵉ (détail).

L'immeuble-enseigne

19, boulevard de Strasbourg,
à l'angle de la rue de Metz, 10ᵉ,
établissements Gaston Verdier,
par Charles Lefebvre, architecte,
Gentil et Bourdet, mosaïstes,
1914-1916.

Lorsqu'ils ne sont pas liés à des surfaces d'exposition et de vente, les sièges de société ressemblent souvent à des immeubles de rapport plus qu'à des immeubles commerciaux et industriels ; mais ils prennent parfois une allure de bâtiment public, comme les banques et les grands magasins. Immeubles-enseignes, ils annoncent sur la rue leur qualité par l'importance du décor – sculptures ou mosaïques.

19, boulevard de Strasbourg
à l'angle de la rue de Metz, 10ᵉ.

effet de distinguer ces immeubles commerciaux des immeubles de rapport, même si la transition est insensible entre les immeubles qui présentent des boutiques au rez-de-chaussée, à l'entresol et quelquefois à l'étage, et les immeubles commerciaux qui, inversement, comprennent des logements dans les étages supérieurs. **VOIR AUSSI** *101, rue Réaumur, 2ᵉ, par Albert Walwein, 1895 • 121, rue Réaumur, 2ᵉ, par Charles Ruzé, 1900 • 124, rue Réaumur, 2ᵉ, par Georges Paul Chedanne, 1904 • 130, rue Réaumur, 2ᵉ, par Charles Guimard de Montarnal, 1898.*

19, boulevard de Strasbourg, à l'angle de la rue de Metz, 10ᵉ (détail).

34, avenue de Wagram, 8ᵉ.

VOIR AUSSI *17-23, boulevard des Italiens, 2ᵉ, siège du Crédit Lyonnais, par William Bouwens Van der Boijen, 1876-78, 1880-83 : avant-corps central inspiré par le pavillon de l'Horloge du Louvre et lions au naturel portant le balcon, éléments du répertoire classique, mais aussi enseigne • 18, rue de Paradis, 10ᵉ, magasin des faïenceries Boulenger, de Choisy-le-Roi (Musée de l'affiche de 1978 à 1991), par G. Jacottin, 1900 (façade retouchée en 1907 et 1912) : la façade, couverte de faïence émaillée, parle d'elle-même • 45, rue Saint-Roch, 1ᵉʳ, Maison des cuisiniers de Paris, par Bruno Pélissier, 1917 : deux cariatides colossales qui font enseigne, sans lien avec la fonction sociale de l'immeuble • 45, rue de Tocqueville, 17ᵉ, imprimerie Dorel, par Frédéric-Eugène Bertrand, 1920-1923.*

L'hôtel de voyageurs

34, avenue de Wagram, 8ᵉ,
Ceramic Hotel, par Jules Lavirotte,
grès d'Alexandre Bigot, 1904.

La révolution ferroviaire et les expositions universelles favorisent le développement du tourisme bourgeois et, à Paris comme ailleurs, la construction de grands hôtels de voyageurs (hôtel du Louvre, rue de Rivoli, 1854 ; Grand Hôtel, boulevard des Capucines, 1861-1863 ; hôtel Terminus, rue Saint-Lazare).

Dans le parcellaire parisien, les hôtels de voyageurs sont traités sur rue presque comme des immeubles ordinaires. Les différences s'accusent seulement

Hôtel Regina, 6, rue de la Tour, 16ᵉ (détail).

dans les distributions intérieures : vastes halls d'entrée, cour couverte, salons, salles à manger et bars, etc. Ils se distinguent cependant discrètement, dès l'extérieur, par leur marquise de fer ou de fonte ouvragée, les grandes baies de leur salle à manger (le plus souvent sur rue pour attirer une clientèle de passage), et leur dessin gracieux et animé.

Plusieurs immeubles Art nouveau ou Art déco ont été transformés a posteriori en hôtels, leur façade spectaculaire faisant enseigne. Ainsi le Ceramic Hotel, 34, avenue de Wagram, 8ᵉ, bâti en 1904 par Jules Lavirotte pour Mme Russell : le revêtement de céramique devient la meilleure enseigne publicitaire.

VOIR AUSSI *Hôtel Normandy, 7, rue de l'Échelle, 1ᵉʳ, 1877 • Hôtel Lutétia, 45, boulevard Raspail, 6ᵉ, par Louis Boileau et Henri Tauzin, 1910 • Hôtel Massilia, 13, boulevard Diderot, 12ᵉ, par Marcel Oudin, 1911 : structure de béton apparent et remplissage de brique blanche • Hôtel de Normandie, 3, rue de la Banque, 2ᵉ, par Ch. Goujon, 1919 : style haussmannien un peu ronflant • Studio-Aparte-ments Hôtel, 9, rue Delambre, 14ᵉ, par Henry Astruc, pour un investisseur américain, 1926 : location pour des durées variables de studios d'artiste, dont les grandes baies affirmées dans l'ossature de béton de la façade sont réduites en fenêtres par une paroi translucide de pavés de verre • Hôtel Regina, 6, rue de la Tour, 16ᵉ, par Gabriel Brun, 1930, dont la façade couverte de mosaïque a été primée.*

"Hôtel de Normandie", 3, rue de la Banque, 2ᵉ.

28, boulevard Malesherbes, 8ᵉ (détail).

Le garage-club

6, rue de la Cavalerie, 15ᵉ,
garage La Motte-Picquet,
par R. Farradèche, 1929.

Dans les années 1920, les garages se multiplient à Paris, qui compte en 1927 déjà plus de 200 000 automobiles. Pouvant loger 800 véhicules sur huit niveaux, ce garage fonctionnait comme un club sportif, le dernier étage comportant un court de tennis, un bar et un restaurant.

VOIR AUSSI *165, rue de Vaugirard, 15ᵉ, garage Citroën, 1927-1928.*

L'hôtel particulier en forme d'immeuble

28, boulevard Malesherbes, 8ᵉ,
par Paul Sédille, 1870.

L'usage de louer les étages supérieurs d'un hôtel particulier à des étrangers remonte au XVIIᵉ siècle et persiste sous diverses formes jusqu'à la Première Guerre mondiale. Aussi n'est-il pas toujours facile de distinguer l'hôtel particulier en forme de petit immeuble, l'immeuble de rapport de quartier périphérique, plus bas, comme dans une ville de province, et l'immeuble mixte, où le propriétaire se réserve le rez-de-chaussée et le bel étage pour louer les étages supérieurs.

VOIR AUSSI *9, rue La Bruyère, 9ᵉ, "Anno 1867" (date portée sur les élégants pilastres encadrant la porte).*

28, boulevard Malesherbes, 8ᵉ.

6, rue de la Cavalerie, 15ᵉ.

31, rue Campagne-Première, 14ᵉ.

L'immeuble d'ateliers d'artistes

31, rue Campagne-Première et passage d'Enfer, 14ᵉ, par André Arfvidson, 1911 (primé au concours de façades de la ville de Paris).

Les ateliers d'artistes sont nombreux à Paris, particulièrement dans le quartier Montparnasse. Parfois ils s'installent dans les ateliers artisanaux des arrière-cours et des passages, parfois ils n'occupent que le dernier étage d'un immeuble d'habitation lorsqu'il est bien orienté au nord ; quelquefois, comme ici, ils se constituent en immeuble spécifique (on a dénombré près de 150 immeubles de ce type entre 1840 et 1935). Les grandes baies des ateliers donnent à la façade sa singularité typologique, renforcée ici par le spectaculaire revêtement de faïence de grès d'Alexandre Bigot. La recherche de l'effet décoratif et la vivacité des couleurs, qui mettent l'art dans la rue, relèvent de l'esthétique de l'Art nouveau, mais les formes géométriques renvoient au Jugendstil viennois et à Otto Wagner plutôt qu' à l'Art nouveau belge et à Guimard.

VOIR AUSSI *7, rue Antoine-Chantin, 14ᵉ, par Eugène Gonnot, 1927 : marquise en béton et pavés de verre, et décor de fleurs en aplats • Studio building, 65, rue La Fontaine, 16ᵉ, par Henri Sauvage, 1926-1928 : volumes massifs et revêtement de grès cérame par Gentil et Bourdet • 145, boulevard Pereire, 17ᵉ, par G. A. Dreyfuss et V. Mette, 1931 : appartements bourgeois en forme d'atelier d'artiste • 187, rue Ordener, 18ᵉ, par Adolphe Thiers et Henry Résal pour la société d'HBM Montmartre aux artistes, 1930-1932.*

D'une guerre à l'autre (1918-1940)
Mouvement moderne et Art déco

"Il serait puéril de refuser toute beauté à la mécanique, mais il ne faut pas faire de confusion et accepter les définitions primaires qui mènent aux pires erreurs, à la barbarie, à la machine à habiter."
Louis Süe, "Notes sur l'art décoratif", *Carrefour*, avril-mai 1939.

"Une énorme bâtisse vient d'être achevée place Saint-Augustin, qui est un scandaleux défi au goût français en général et à la beauté de Paris en particulier", écrit en 1928 le critique Gabriel Mourey. "C'est un *horrible mélange* de tous les pires lieux communs architecturaux, un ahurissant pot-pourri de tous les laissés pour compte des styles dits classiques, un innommable arlequin de tous les poncifs ornementaux les plus fatigués et les plus répugnants, entassés comme au hasard sur des façades dont la disproportion flagrante qui règne entre les pleins et les vides, l'abus des colonnes et des consoles inutiles, la niaiserie et la banalité, fort prétentieuse d'ailleurs, des sculptures allégoriques qui les surchargent encore accentuent le volumineux néant."

Cette charge contre l'immeuble du Cercle militaire (*8, place Saint-Augustin, 1927*), publiée dans le n° XIX des Albums d'art Druet consacré à Henri Sauvage, illustre la rupture irréversible avec le classicisme éclectique, qui, en dépit de quelques œuvres novatrices, avait dominé jusqu'alors le paysage parisien.

Si le gabarit des immeubles demeure inchangé, tout s'inverse : volumes et lignes géométriques, surfaces lisses et nues, nouvelle gamme de couleurs (brique de Vaugirard rouge soutenu, grès cérame jaune ou brun, pierre dure d'Hauteville ou béton enduit blanc tranchant avec les huisseries et balcons métalliques peints en noir). Le comble fait place au toit-terrasse sans corniche. Si l'accent vertical des bow-windows persiste souvent, s'imposent rapidement de nouveaux types de baie à fine huisserie métallique (fenêtre horizontale en bande,

Henri Sauvage, Projet d'avenue à gradins, 1928, fonds Henri Sauvage.

fenêtre angulaire, bow-window sur l'oblique). Tout le répertoire des modénatures classiques (chambranle mouluré, console, corniche, etc.) disparaît au profit d'un parti pris de simplicité sur lequel s'enlèvent des garde-corps en tubulure métallique, empruntés à l'architecture navale, ou de superbes ferronneries décoratives, créées par Édouard Schenck, Raymond Subes ou Edgar Brandt. Certains des acteurs de cette révolution esthétique parti-cipent activement au mouvement moderniste d'avant-garde des Ciam (Congrès internationaux de l'architec-ture moderne) ; d'autres ne retiennent que quelques poncifs, dernier rebond d'un éclectisme protéiforme ; d'autres enfin recherchent le juste milieu d'un clas-sicisme moderne. La typologie de l'immeuble hauss-mannien, bâti sur un îlot entre deux murs mitoyens, est contestée par les premiers et, en 1925, Le Corbusier propose de rebâtir Paris comme une "cité radieuse" de gratte-ciels juxtaposés, ouverts au soleil et à la lumière (plan Voisin) ; les derniers s'inquiètent du "triomphe du mur nu", "effroyablement nu" (Henri Sauvage), ou, invoquant "les règles éternelles d'eurythmie", critiquent "les exagérations expressionnistes" de l'architecture internationale (Michel Roux-Spitz). Mais, si utopies et polémiques font rage sur le papier, dans le tissu urbain les distances ne sont pas si grandes entre les tenants du "modernisme international" et ceux d'un "nouveau classicisme français" : les immeubles de Roux-Spitz et de Le Corbusier, côte à côte aux 22 et 24, rue Nunges-ser-et-Coli, 16ᵉ, font certes contraste, mais les réalisa-tions de Charles Abella, Pol Abraham, Bruno Elkouken, Jean Ginsberg, Robert Mallet-Stevens et Pierre Patout réduisent toute solution de continuité.

Traits et motifs distinctifs

Béton habillé de mosaïque ou de grès cérame (photo) : 131, rue de Vaugirard, 15e, par Léon-Joseph Madeline, 1936.

Fenêtre horizontale en bande ou fenêtre angulaire : 96, rue Notre-Dame-des-Champs, 6e, par Léon-Joseph Madeline, 1939.

Ferronneries ornées de fleurs stylisées ou à dessins géométriques (photo) : 19, boulevard Raspail, 7e, par Henri Sauvage, 1906.

La brique dans tous ses états : 6, boulevard Ornano, 18ᵉ, par André Granet, 1929.

Retour aux lignes droites épurées : 73, rue des Cévennes, 15ᵉ, par Charles-Louis et Henry-Charles Delacroix, 1935.

Bas-relief écrasé en aplat : 116, rue de Courcelles, 17ᵉ, par A. Roland, architecte, F. Mourges, sculpteur, 1930.

89, quai d'Orsay, 7ᵉ.

89, quai d'Orsay, 7ᵉ (détail).

Le classicisme moderne

89, quai d'Orsay, 7ᵉ, par
Michel Roux-Spitz, 1929.

Héraut de "l'équilibre français", Michel Roux-Spitz épure l'immeuble bourgeois avec un sens aigu de la simplicité élégante et de la finition soignée. Il habille les structures en béton de pierre blanche, dure et polie d'Hauteville ou de Rocheret, agrafée avec des joints fins, presque invisibles. Il renouvelle l'ordonnance traditionnelle en reliant le bow-window géométrisé du salon aux fenêtres latérales, et crée ainsi un équilibre efficace entre la saillie verticale médiane et la superposition des bandes horizontales des fenêtres, qui restent cependant segmentées, à la différence du pur langage moderniste.

Roux-Spitz avait mis au point ce motif du bow-window modernisé en 1925, pour son immeuble du 14, rue Guynemer, achevé en 1928 ; "la répétition obstinée de la façade de la rue Guynemer", comme on le regrette dans un article de *L'Architecture d'aujourd'hui* d'avril-mai 1931, caractérise son œuvre entière (11, boulevard du Montparnasse, 1930 ;

22, rue Nungesser-et-Coli et 115, avenue Henri-Martin, 16ᵉ, 1931), mais aussi celle de plusieurs protagonistes de "l'École de Paris". Le bow-window modernisé à trois pans raides devient un poncif de toute l'architecture des années 1930.

VOIR AUSSI *8-10, rue Saint-Marc, 2ᵉ, par Henri Sauvage, 1929 : quand Sauvage travaille dans l'esprit de Roux-Spitz, peut-être avec l'espoir de mieux se fondre dans un quartier ancien • 102, rue d'Assas, 6ᵉ, par Ed. Malot, 1930 : une imitation quasi littérale du style de Roux-Spitz • 28-30, boulevard Raspail, 7ᵉ, par Pol Abraham, 1932 : volume articulé par un défoncé central, animé par des fenêtres angulaires et raccordé par des balcons arrondis à l'immeuble mitoyen 1900 ;*

28-30, boulevard Raspail, 7ᵉ.

puissante ossature adoucie par un revêtement de pierre agrafée contrastant avec les huisseries métalliques noires • *21, rue de Laghouat, 18ᵉ, par André Bertin et Abro Kandjian, 1934 : ordonnance symétrique de la façade en pierre de taille avec un léger avant-corps des salles de séjour, fenêtres en longueur encadrés par des oculi* • *109, rue des Entrepreneurs, 15ᵉ,*

par G. et J. Tréant-Mathé, 1939 : bow-windows semi-cylindriques encadrant des fenêtres allongées dans une composition symétrique très "dessinée" • *53, avenue Foch, 16ᵉ, par Charles Abella pour André Lafond, l'entrepreneur de la rue Mallet-Stevens, 1939 : façade en pierre à la discrète asymétrie, avec des oculi modernistes et une balustrade Art déco.*

L'avant-garde moderniste

24, rue Nungesser-et-Coli, 16ᵉ, par Le Corbusier et Pierre Jeanneret, 1932.

Le Corbusier propose ici sa version de l'immeuble parisien, d'un modernisme plus radical que le bâtiment mitoyen dessiné par Roux-Spitz (nᵒ 22). La façade est tout en verre, brique de pâte de verre et verre transparent. La paroi du rez-de-chaussée est placée en retrait pour donner l'impression d'un édifice soulevé de terre, comme pour les grands immeubles à pilotis. Au-dessus, la saillie des troisième et quatrième étages groupés rompt avec l'habitude de privilégier plutôt les premier et cinquième étages, comme avec les habituels bow-windows verticaux des nᵒˢ 26 et 28.

VOIR AUSSI *12, rue Cantagrel, 13ᵉ : cité refuge de l'Armée du Salut, par Le Corbusier, 1929-1933* • *7, boulevard Jourdan, 14ᵉ, 1932 : pavillon suisse de la Cité internationale universitaire de Paris par Le Corbusier , 1932.*

24, rue Nungesser-et-Coli, 16ᵉ.

24, rue Nungesser-et-Coli, 16ᵉ (détail).

Entre style international et classicisme moderne

42, avenue de Versailles, 16ᵉ, par Jean Ginsberg et François Heep, 1934.

Élève de Mallet-Stevens, employé de l'agence Le Corbusier, Jean Ginsberg aborde ici le problème de l'immeuble d'angle. L'angle arrondi, prolongé par les fenêtres en bande, n'est pas sans rappeler le magasin des Trois Quartiers par Louis Faure-Dujarric, mais, encadré par la saillie des balcons à gauche et le décrochement de l'immeuble à droite, il fait aussi écho aux rotondes d'angle haussmanniennes. Si les fenêtres en bande, les garde-corps en tubulure métallique et la silhouette des étages supérieurs en terrasse renvoient à la poétique moderniste, le placage de pierre inscrit l'immeuble dans la tradition parisienne.

Jean Ginsberg et François Heep réalisent aussi, en 1936, un immeuble de logements de standing (5, avenue Vion-Whitcomb, 16ᵉ) très directement inspiré par Le Corbusier, mais, en renonçant à la paroi de verre et en redescendant d'un étage la saillie pour l'aligner sur les bow-windows de l'immeuble mitoyen, Ginsberg annule les singularités poétiques de son modèle et se montre au fond aussi proche de Roux-Spitz que du maître avoué.

Cet immeuble annonce la transformation, dans les années 1950, du vocabulaire moderniste en autant de poncifs (fenêtres en bande, huisseries métalliques, balcons de verre).

VOIR AUSSI *138, rue du Théâtre, 15ᵉ, par Bruno Elkouken, 1931 • 25, avenue de Versailles, 16ᵉ, par Jean Ginsberg et Berthold Lubetkin, 1931 • 146 et 151, boulevard du Montparnasse, 6ᵉ, par Bruno Elkouken, 1934 et 1937.*

42, avenue de Versailles, 16ᵉ.

51, rue de Vouillé, 15ᵉ.

24, rue Feydeau, 2ᵉ.

Cubisme architectural et bow-windows

51, rue de Vouillé, 15ᵉ, par Henri Depussé, vers 1935.

Autour de 1930, les architectes multiplient les jeux sur le bow-window. Placé de biais, il acquiert une volumétrie quasi cubiste. Pour l'immeuble du Poste parisien (118, avenue des Champs-Élysées, 8ᵉ) en 1929, l'effet était publicitaire ; pour l'immeuble de bureaux bâti en 1932 par Fernand Colin dans une rue étroite (24, rue Feydeau, 2ᵉ), les fenêtres obliques semblaient plutôt chercher la lumière à l'est et à l'ouest. Ici, le choix esthétique semble l'emporter sur la raison fonctionnelle.

VOIR AUSSI *176, rue Saint-Maur, 11ᵉ, par Lucien Lambion, vers 1929 • 17, rue de l'Atlas, 19ᵉ, par Robert Parisot, 1932 • 11, place Adolphe-Chérioux, 15ᵉ, par Marcel Hennequet, 1933-1934 : double bow-window de biais qui marque le centre de la façade, proche du modernisme de bon ton de Roux-Spitz • 1, rue Gustave-le-Bon, 14ᵉ, par Marcel Maline, 1935 : le bow-window sur l'oblique, au centre de la façade, forme le pivot autour duquel s'équilibrent les autres pleins et vides asymétriques.*

Abstraction et brique décorative

36, rue Antoine-Chantin, 14ᵉ, par Emmanuel Pontremoli et Joseph Bassompierre, Paul Sirvin et Paul de Rutté, ILM pour la fondation A. et J. Weill, 1929, primé au concours de façades de 1929.

Alternative au revêtement de pierre agrafée, la brique connaît un regain de fortune dans les immeubles de l'entre-deux-guerres, destinés le plus souvent à des logements petit-bourgeois à loyer modéré. Les architectes jouent sur la gamme colorée des briques industrielles, multipliant les effets décoratifs abstraits de l'appareil.

VOIR AUSSI *3, rue Émile-Duclaux, 15ᵉ, par Eugène Bidard, 1925 • 2, square Gabriel-Fauré, 17ᵉ, par Henri Sauvage, 1925-1931 • 7, rue François-Mouthon, 15ᵉ, par André Hamayon : façade primée en 1930 • 10, rue Tesson, 10ᵉ, par René Clozier, 1931-32 • 8, rue de Port-Mahon, 2ᵉ, par Louis Filliol et André Morel pour la coopérative "L'Avenir du prolétariat", 1935-1936 : brique rouge de Vaugirard et mosaïque noire.*

36, rue Antoine-Chantin, 14ᵉ (détail).

131, rue de Vaugirard, 15ᵉ (détail).

Habiller le béton

131, rue de Vaugirard, 15ᵉ, par Léon-Joseph Madeline, 1936.
Entre la pierre de taille, trop traditionnelle, la brique, trop colorée, et le béton, trop brutal, certains architectes, prolongeant les expériences Art nouveau (céramique, sgraffite), cherchent des matériaux de revêtement simples et élégants : gravillons lavés, grès cérame aux tons atténués – gris, blanc cassé, brun –, mosaïques décoratives. Au carrefour Falguière, la façade de cet immeuble se creuse entre les deux tourelles d'angle qui s'ancrent dans la tradition de l'immeuble haussmannien ; mais toutes les modénatures disparaissent pour mettre en valeur les volumes arrondis et le revêtement en carreaux de grès cérame cassés (pp. 50 et 176).

131, rue de Vaugirard, 15ᵉ.

VOIR AUSSI *3, rue de Liège, 9ᵉ, par Paul Marozeau, 1926 : mosaïque bleue sur les balcons et en frise sous le balcon de couronnement • 39, rue Gros, 16ᵉ, par Alfred Guilbert, 1927 • 7, rond-point Mirabeau, 15ᵉ, et 2, rue Verderet, 16ᵉ, par Joseph Bassompierre, Paul de Rutté et Paul Sirvin, 1930-1932 et 1933 • 40, quai Louis-Blériot, 16ᵉ, par Marteroy et Bonnel, 1932 • 3, rue Ernest-Psichari, 7ᵉ, par Léon-Joseph Madeline, 1934.*

Accent vertical ou balcons filants

73, rue des Cévennes, 15ᵉ, par Charles-Louis et Henry-Charles Delacroix, 1935 et 11, rue Pierre-Nicole, 5ᵉ, par André Contenay, 1937.
Dans les années 1930, tous les quartiers voient s'élever de nouveaux immeubles, version moderne de l'immeuble haussmannien : ossature de béton et remplissage de brique, bow-window à pan coupé, en arc de cercle ou en demi-cercle ; fenêtre à huisserie métallique et garde-corps à motifs géométriques ou orné de fleurs stylisées.
Les ordonnances sont toujours construites sur des lignes orthogonales affirmées : verticales d'un

73, rue des Cévennes, 15ᵉ.

11, rue Pierre-Nicole, 5ᵉ.

73, rue des Cévennes, 15ᵉ (détail).

bow-window, comme dans cet immeuble de la rue Pierre-Nicole, ou lignes parallèles horizontales des balcons pleins, comme dans celui de la rue des Cévennes, qui se retourne en arc de cercle sur le rond-point Saint-Charles. Au centre de ces balcons superposés, le vitrage s'avance à l'aplomb de la coursière pour former des sortes de bow-windows, qui contrebalancent la puissante horizontalité des coursières latérales.

La polychromie persiste, mais réduit sa gamme : brique jaune, enduits blancs, mosaïques marron ou beige, tandis qu'on joue toujours sur la texture et l'assemblage des briques.

VOIR AUSSI *20, boulevard de l'Hôpital, 5ᵉ, par Alfred Chastagnol, 1929 • 20, rue Chaptal, 9ᵉ, par Jean Coppens, 1934 • Place du Général-Stéfanik, 16ᵉ, ILM par A. Tur, 1934 : balcons rectangulaires en porte-à-faux aux angles • 3, rue Degas, 16ᵉ, par A. Gille, 1935 : balcons arrondis encadrant le bow-window rectangulaire du pan coupé • 31, rue Robert-Lindet, 15ᵉ, par R. Debardot, 1935.*

Un immeuble paquebot
3-5, boulevard Victor, 15ᵉ, par Pierre Patout pour lui-même, 1934-1935.

Sur un terrain lui appartenant, entre le boulevard Victor et la ligne de chemin de fer de la petite ceinture, tout en longueur (2,40 m à 10 m de large sur 90 m de long), Pierre Patout, qui avait aménagé plusieurs transatlantiques, bâtit cet immeuble de 70 logements de luxe qui évoque un

paquebot échoué aux portes de Paris, et s'installe dans le triplex aménagé à la proue. Le paquebot est une des références du mouvement architectural moderne (Le Corbusier, Georges-Henri Pingusson), mais une référence plus mentale que formelle : l'immeuble de Patout ressemble moins à un paquebot que les villas de Palladio à des temples antiques.

VOIR AUSSI *5, rue du Docteur-Blanche, et square Henry-Paté, 16ᵉ, par Pierre Patout, 1929 • 11, avenue de Wagram, 1929, et 2-8, rue Catulle-Mendès, 17ᵉ, par Pierre Patout, 1931.*

3-5, boulevard Victor, 15ᵉ.

Les trente glorieuses (1945-1974)
Paris se modernise

"Alors qu'entre 1925 et 1939 la commande était rare et que les architectes promoteurs du mouvement fonctionnaliste avaient le temps de réfléchir, d'étudier, d'analyser et d'édifier lentement une doctrine, 1945 vit tout à coup apparaître une réalité d'un tout autre caractère… Le temps de la réflexion était passé, il fallait produire dans des conditions particulièrement dures."
André Lurçat, *Actualité des principes fonctionnalistes*, 1965.

Après les premières années de reconstruction, le mot d'ordre est "Modernisation ou décadence". La fascination pour le modèle américain favorise l'industrialisation de l'architecture et l'émergence de nouvelles formes d'immeuble qui, entre les deux guerres, étaient restées pour l'essentiel sur le papier. En effet, dès 1922, inspiré par le modèle new-yorkais, Auguste Perret avait présenté la tour comme "l'idéal du réalisable" : "La ville doit être un grand espace planté de tours." Le Corbusier avait multiplié les propositions paradoxales pour faire de Paris une ville contemporaine, du "scandaleux" plan Voisin de 1925, dressant dix-huit gratte-ciel au centre de Paris, au projet de 1937,

embrassant les "témoins du passé rassemblés sur les bords du fleuve" entre de grandes barres à redents. Les concours de 1930-1931 pour l'aménagement de la porte Maillot avaient aussi montré la pénétration de l'idée américaine de gratte-ciel, "nul autre endroit ne se prêtant mieux à la démonstration et à la mise en pratique d'une semblable formule" (Rosenthal, lettre à Le Corbusier, 19 mai 1930).
De même commence à devenir opérante la réflexion sur l'industrialisation de l'architecture engagée au début du xxᵉ siècle, où la réussite de l'industrie automobile fascine les architectes (maison préfabriquée de Gabriel Voisin, 1919 ; chantier expérimental du 4, square Gabriel-Fauré, 17ᵉ, par Henri Sauvage, 1928-1931) : béton

Dessin publicitaire de la tour Chambord, 22, boulevard Kellermann, 13ᵉ, par Mikol, Holley et Brown-Sarda, 1973-1975.

employé en éléments préfabriqués, murs-rideaux en aluminium, acier et verre trempé.

Paris étant sorti de la Deuxième Guerre mondiale presque sans destruction, la ville contemporaine s'élève pour l'essentiel dans les anciens quartiers populaires insalubres avant de structurer les nouvelles friches industrielles. Sur de vastes îlots, bureaux, logements et grands hôtels coexistent dans une nouvelle trame urbaine, sur des dalles en retrait de la rue, en un jeu de contrastes souvent simplistes entre barres et tours.

Un plan directeur est élaboré par Raymond Lopez en 1957-1959. L'opération Maine-Montparnasse, sur 8 hectares, avec sa tour de 57 étages (1958-1973), le front de Seine sur 12 hectares (1958-1978), la rénovation du quartier Italie sur 87 hectares (à partir de 1972), sont les principaux chantiers. À la différence de la City de Londres défigurée, le centre de Paris est sauvé par le lancement du projet de Paris-La Défense, conduit par un établissement public, l'Epad, à partir de 1958, et sa reconquête patrimoniale commence avec la création des secteurs sauvegardés par André Malraux (le Marais en 1965).

En 1967, année prémonitoire, Jean-Luc Godard filme, dans *Deux ou trois choses que je sais d'elle*, la poésie désenchantée de ce Paris "qui change plus vite que le cœur des femmes", tandis que Jacques Tati s'en amuse dans son chef d'œuvre *Playtime*.

Traits et motifs distinctifs

Béton industriel préfabriqué et balcon en Altuglas :
4-6, rue Paul Gervais, 13e, par Bernard Favatier
et Pierre Herault, 1974.

Abandon de l'alignement sur la rue et rupture d'échelle : le front de Seine, 15e.

Murs-rideaux : 5, square Mozart, 16ᵉ, par Lionel Mirabaud et Jean Prouvé (pour les panneaux des murs rideaux), 1954 ; ossature de béton armé et murs-rideaux avec volets d'aluminium coulissants fonctionnant comme allège en position basse, comme persienne en position haute et comme store en position basculée.

Béton industriel préfabriqué : 178, rue d'Alésia, 14ᵉ, balcons procédé Art-Béton, par Jean Balladur et Jean-Baptiste Tostivint, 1970.

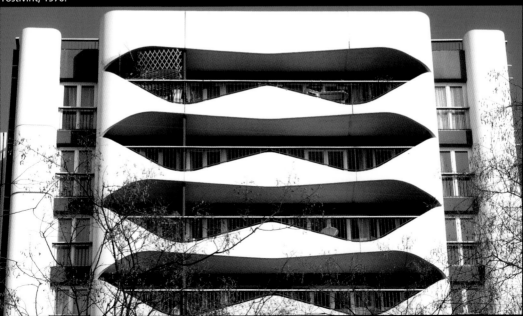

Le style "René Coty"
89-93, boulevard Raspail, 6ᵉ,
par Louis Thomas, 1957.

Dans la première décennie de la reconstruction, l'architecture des immeubles parisiens revient au revêtement de pierre calcaire et à un gabarit de fenêtre plus modeste, version simplifiée de l'architecture des années 1930, qu'on pourrait qualifier, pour faire image, de style "René Coty", le dernier président de la IVᵉ République. Dans les deux décennies suivantes, les immeubles d'accompagnement des quartiers historiques rénovés en seront les derniers avatars.

Sur cet immeuble d'angle, au-dessus d'un balcon filant au deuxième étage sur toute la largeur du bâtiment, se superposent, à l'angle du boulevard, sept balcons sur lesquels ouvrent sept portes-fenêtres, la porte-fenêtre axiale étant plus large pour souligner encore l'angle au-dessus de la grande entrée.

VOIR AUSSI *59-61, rue des Francs-Bourgeois, 4ᵉ, par Magot et Méjean, 1951 • 1, rue du Figuier, 4ᵉ, par Robert Édouard Camelot, 1952 • 2, avenue Léopold-II, 16ᵉ, par M. J., M. P. Rainaut, 1952 • 6-8, square Mozart, 16ᵉ, par Bollard, 1954.*

Le style "Corbu"
19, rue du Docteur-Blanche, 16ᵉ,
par Jean Ginsberg et Georges Massé, 1950-1953.

Un immeuble où sont utilisés à petite échelle les principes de Le Corbusier et le vocabulaire de l'architecture internationale d'avant-garde de l'entre-deux-guerres : façade ouverte à la lumière, vastes loggias et toit-terrasse ensoleillé, qu'on retrouve vulgarisés dans les immeubles de standing des deux décennies suivantes (et encore en 1975, 3, rue Campagne-Première, 14ᵉ, par Gilles Bouchez pour le béton brut de décoffrage).

89-93, boulevard Raspail, 6ᵉ.

En haut et ci-dessus : 19, rue du Docteur-Blanche, 16ᵉ.

67, rue Barrault, 13ᵉ.

VOIR AUSSI 7, *boulevard Jourdan, pavillon du Brésil, Cité internationale universitaire de Paris, 14ᵉ, par Le Corbusier et Lucio Costa, 1959 : béton brut de décoffrage • 25, rue Saint-Ambroise, 11ᵉ, par Louis Miquel, 1965 : "petite cité radieuse à l'échelle d'une rue parisienne", qui associe hall d'exposition, bureaux et logements.*

Brutalisme volumétrique du béton

67, rue Barrault et 28-30, rue de la Colonie, 13ᵉ, par Roger Anger et Pierre Puccinelli, 1958.

Avec ses sept étages sur la rue, cet immeuble de cinquante logements reste fidèle à la typologie de l'immeuble parisien ; mais le jeu volumétrique des balcons, mis en valeur par la situation d'angle, lui donne un caractère sculptural et cinétique, qu'on retrouve dans des réalisations ultérieures de l'agence (283, rue des Pyrénées, 20ᵉ, 1959 ; 166, rue Cardinet, 17ᵉ, 1962 ; 25, avenue Paul-Doumer, 16ᵉ, 1965 ; 31-35, rue Saint-Ambroise, 11ᵉ, 1969), comme dans ses réalisations postérieures d'immeubles de grande hauteur, où, pour animer des volumes simples, loggias et balcons sculpturaux deviennent un maniérisme de signature.

VOIR AUSSI *15-21, rue Érard, îlot Saint-Éloi, 12ᵉ, agence Anger-Heymann, 1962 : trois tours de vingt étages reliées tous les trois étages par des ponts, un étage sur trois, traitées comme des sculptures abstraites, où les effets de volumes déboîtés sont mis en valeur par le contraste entre les surfaces de béton lisse et les fenêtres en bande • 19-21, rue de Dantzig, résidence du Vermandois, 15ᵉ, agence Anger-Heymann, 1965 : balcons dessinés sur un module de trois étages visant à réduire l'effet de grande échelle.*

63, avenue de La Bourdonnais, 7ᵉ.

Le modernisme bourgeois

63, avenue de La Bourdonnais, 7ᵉ,
par Jean Dubuisson, 1962.

Lorsque le tissu urbain est trop serré pour qu'on envisage un bouleversement du parcellaire, les constructions neuves s'y inscrivent discrètement, avec plus ou moins de bonheur. En mettant en œuvre une fine structure de poteaux portant les planchers, une double paroi de verre coulissante sur les six étages et un jardin-terrasse, Jean Dubuisson réussit à greffer sur l'immeuble parisien les maisons de verre de Mies van der Rohe. Les appartements occupant chacun tout un étage, l'immeuble apparaît comme la superposition de six villas modernistes, dont la transparence permet aux arbres de l'avenue d'entrer en quelque sorte dans la salle de séjour.

VOIR AUSSI *11, square Jasmin, 16ᵉ, par Jacques Rivet, 1955 • 61, rue Erlanger, 16ᵉ, par Pierre Vago • 37-39, boulevard Murat, 16ᵉ, par Jean Ginsberg, 1965 • 8, place Adolphe-Chérioux, 15ᵉ, par Jean-Paul et Jacques Chauliat, 1962 : traitement de l'angle inspiré par les Trois Quartiers de Louis Faure-Dujarric.*

boulevard Suchet, 16ᵉ.

Le modernisme ordinaire

69, boulevard Suchet, 16ᵉ, 1971.
Structure de béton et revêtement de pierre ou de marbre agrafé, balcons filants en verre fumé ou en Altuglas formant souvent de petites loggias, l'archétype de l'immeuble moderne qui séduit les promoteurs et les cadres supérieurs de la Vᵉ République vient occuper tous les points faibles du tissu urbain. Chaque quartier a ses exemples de ce modernisme ordinaire, version contemporaine de l'immeuble haussmannien.

Un immeuble à vitesse variable

7, boulevard Jourdan, 14ᵉ, pavillon de l'Iran, par Claude Parent, I. et H. Ghiaï, M. Foroughi, André Bloc, 1968.
Bâti par l'Iran dans le parc de la Cité internationale universitaire de Paris, et voulu comme l'image de la modernité du régime du shah, cet immeuble présente deux blocs de quatre étages de douze chambres d'étudiants suspendus à trois portiques d'acier et séparés par le logement du directeur. Les espaces communs en rez-de-chaussée sortent du volume pour bien dégager l'effet de pilotis, comme au pavillon suisse. Implanté en bordure du périphérique, l'immeuble a été dessiné pour être visible à grande vitesse : les portiques d'acier noir et l'escalier de secours en vis, à révolution inversée à mi-parcours, jouent en contrepoint sur le mur-rideau blanc. Il reste une des plus belles réponses à la question de la perception des immeubles bâtis le long des voies express des mégapoles contemporaines.

7, boulevard Jourdan, 14ᵉ.

Le gratte-ciel locatif

33, rue Croulebarbe, 13ᵉ,
par Édouard Albert, Roger Boileau
et Jacques-Henri Labourdette
pour la Société de construction
immobilière, 1958-1961.

Cet immeuble de vingt-deux étages, haut de 67 m, le premier gratte-ciel d'habitation de Paris, précède les grands programmes de bureaux (la Défense, tour Nobel). À la différence des gratte-ciel new-yorkais, qui s'inscrivent dans le quadrillage primitif des avenues et rues de Manhattan, il s'écarte de la rue pour s'affirmer comme un volume pur dans le ciel de Paris, selon la syntaxe corbuséenne. Il est bâti avec une ossature de tubes d'acier remplis de béton, contreventés à chaque étage par des croix d'acier disposées de manière aléatoire, en moyenne sur une travée sur deux ; cette grille structurelle est partiellement masquée par le mur-rideau de verre blanc et de panneaux d'acier inoxydable où les lignes horizontales de planchers dominent l'effet des montants verticaux. Le tout engendre une vibration visuelle en consonance avec les recherches contemporaines d'art cinétique. Ce "gratte-ciel n° 1" reste longtemps le seul. Les tours ne se multiplient qu'après 1966 et, en 1970, Michel Holley peut écrire : "Les tours ne sont plus maintenant des monuments exceptionnels, mais des objets de production courante, bientôt de série, et c'est plus particulièrement celles-ci qui vont créer un nouveau cadre urbain."

VOIR AUSSI *25-27, boulevard Arago, 13ᵉ, par Gilles Gauthier et Pierre Milande, 1966-1969 • 67, rue Dunois, le Nouveau Monde, 13ᵉ, par Philippe Deslandes, 1969-1970 • 22, boulevard Kellermann, tour Chambord, 13ᵉ, par Daniel Mikol, 1970 • 121-127, avenue d'Italie, Super Italie, 13ᵉ, par Maurice Novarina, 1970-1976 : gratte-ciel ovale couronné d'un chapeau d'ardoise.*

33, rue Croulebarbe, 13ᵉ.

, rue du Commandant-René-Mouchotte, 14e.

Le village en barre

8-26, rue du Commandant-René-Mouchotte, 14e, ensemble Maine-Montparnasse, par Jean Dubuisson, 1960-1964.

Bâti le long des voies de la nouvelle gare Montparnasse, qui devaient être couvertes dès l'origine par un jardin (réalisé vingt ans après, de manière décevante), ce grand ensemble de logements à loyer modéré a reçu une façade en mur-rideau, plus soignée que sa catégorie ne l'autorise habituellement. Cet immeuble a été une star des films de la Nouvelle Vague (*Deux ou trois choses que je sais d'elle*, de Jean-Luc Godard, 1966 ; *La Maman et la Putain*, de Jean Eustache, 1973), et encore de *Maine Océan*, de Jacques Rozier, 1986.

8-26, rue du Commandant-René-Mouchotte, 14e (détail).

119-127, avenue de Flandre, 19ᵉ.

Les grands ensembles

119-127, avenue de Flandre, 19ᵉ, par Roger Anger, Mario Heymann, Pierre Puccinelli, Liliane Veder, 1964.

Les années 1960 sont l'âge d'or des grands ensembles, mélange de tours et de barres, destinés à loger les nouvelles classes moyennes. Ici, le volume de la tour de vingt-six étages (quatre groupes de deux appartements identiques disposés en ailes de moulin autour du noyau des circulations verticales, ascenseurs et escaliers de secours) est animé par le contraste entre les surfaces vitrées, montant de fond en comble, striées par les bandes horizontales de vitrage, et les surfaces pleines segmentées tous les trois étages par les pans obliques des loggias et les bandes verticales des fenêtres.

Dix ans plus tard, Martin Van Treck construit les Orgues de Flandre (67-107, avenue de Flandre), un ensemble d'immeubles traités en gradins, qui renouent avec les prototypes d'Henri Sauvage à une tout autre échelle, autour d'une tour modelée comme un faisceau de tuyaux d'orgue.

VOIR AUSSI *8-18, rue Georges-Pitard, Super Montparnasse, par Bernard Zehrfuss, 1966-1969, 15ᵉ • rue de Crimée, 19ᵉ, HLM Crimée-Curial, par A. N. Coquet, 1970 : sur près de 8 ha, 1 790 logements dans seize tours de dix-huit étages, sur le volume desquels le dessin des fenêtres en bande forme une sorte de "grecque" géante • Îlot Plaisance, entre les rues de l'Ouest, d'Alésia, Decrès et du Moulin-de-la-Vierge, 14ᵉ, par Jean Balladur, 1970 : une tour de quinze étages en cœur d'îlot, un immeuble de sept étages et des studios d'artiste en rez-de-chaussée • 105, rue de Tolbiac, les Olympiades, 13ᵉ, par Michel Holley, 1978.*

Le gratte-ciel, totem de la mondialisation

55, rue de Grenelle, tour Totem, par Pierre Parat, 15ᵉ, et Michel Andrault pour la Caisse des dépôts et consignations, 1978.

Chargé d'étudier la rénovation du quartier industriel Beaugrenelle en 1959, l'architecte Raymond Lopez dresse sur un sol artificiel, dalle piétonnière, des tours de hauteur égale qui vont consti-tuer le nouveau front de Seine. L'uniformité initialement sou-haitée est abandonnée pour les dernières réalisations, comme la tour Totem. La structure habi-tuelle du gratte-ciel – noyau de circulations verticales et plateau d'appartements (ou de bureaux) rayonnant autour – est ici affir-mée délibérément : "Exprimer le squelette, la structure, c'est ça l'architecture."[1] Sur les poteaux de structure laissés apparents sur toute la hauteur sont accrochés les logements de grand standing, groupés trois par trois, comme des boîtes orientées pour jouir au maximum du panorama sur la Seine. La tour Totem a une chronologie ambiguë : contem-poraine des premières remises en cause du modernisme triom-phant des années Pompidou, elle appartient à la phase antérieure par la date du plan d'urbanisme, mais, par son programme, elle se rattache aux courants les plus contemporains de l'architecture internationale, qui, de New York à Hongkong, n'a jamais aban-donné le modèle du gratte-ciel d'habitation ; ses occupants sont d'ailleurs pour l'essentiel des étrangers.

55, rue de Grenelle, 15ᵉ.

1. Hervé Martin, *Guide de l'architecture moderne à Paris*, Éditions Alternatives, PAris, 2001.

De la crise à la mondialisation (1974-2013)
Modernisme tardif et postmodernismes

"Dans la ville, l'histoire devient l'actualité, alors que dans le même temps toute construction, achevée, inaugurée, photographiée, prise immédiatement dans l'inaltérable solidarité du paysage urbain, est aujourd'hui déjà de l'histoire."
Christian de Portzamparc, préface au *Guide de l'architecture moderne à Paris* d'Hervé Martin, 1987.

1974 est une date charnière dans l'histoire de Paris et de l'immeuble parisien. Les projets de super gratte-ciel autour de la place d'Italie, comme les radiales intra-muros et l'extension des voies sur berge, sont arrêtés par le nouveau Président, Valéry Giscard d'Estaing. En 1975, le pic de croissance des trente glorieuses est atteint avec 25 000 logements neufs. Le "choc pétrolier" crée une rupture moins économique – la France s'est plus enrichie et le tissu parisien s'est plus renouvelé depuis 1975 que pendant les trente années précédentes – qu'idéologique : le modernisme des années Pompidou est battu en brèche par une nouvelle conscience du passé proche – l'héritage des années 1920 –, comme plus lointain – la tradition haussmannienne.

La valeur artistique de l'architecture du XIXᵉ siècle est redécouverte, régressivement, de l'Art nouveau à l'éclectisme. Le modèle de l'immeuble corbuséen, planté comme une sculpture hors de la trame de la rue dans un dialogue avec le soleil et la lumière, est remis en cause. Une nouvelle génération d'architectes, traumatisée par la destruction des halles centrales de Baltard, redécouvre les mérites de la rue, espace de convivialité, et du parcellaire, garant de la mémoire urbaine.

Le plan d'occupation des sols (POS) de 1977 entérine la condamnation des tours et des barres. Dans le quartier historique du Marais dédensifié et restauré, des immeubles neufs viennent se fondre plus ou moins discrètement. Au centre, dans les quartiers d'affaires qui se mettent à l'heure de la mondialisation, la conscience neuve de la qualité du paysage haussmannien conduit à

Lionel Koechlin, "26 logements pour les employés
de la poste par Philippe
Gazeau, 46, rue de l'Ourcq,
19ᵉ", *Le piéton contemporain*.

conserver les façades, mais les dedans sont démolis pour faire place à des plateaux de béton fonctionnels. Les quartiers industriels obsolètes, reclassés en zones d'aménagement concerté (ZAC), reçoivent des traitements variés, qui renouent avec les rues, les places et l'histoire séculaire de l'immeuble parisien, mais le langage architectural couvre un arc très large : pastiches (trop) discrets ou variations sensibles sur la tradition moderniste.

Les fondements idéologiques du modernisme sont contestés, de l'intérieur, par diverses initiatives qu'on désigne par le terme ambigu de "postmodernisme" : asymétrie abstraite dans l'esprit des années 1920 ou, à l'inverse, symétrie forcée néopalladienne. Les architectes redécouvrent les vertus de la variété : volumes contrastés, obliques, biseautés, ondulants ; baies, coursives et percées variées ; matériaux traditionnels et high-tech, blancs immatériels ou colorés, "beau béton" toujours et "retour à la brique" ; carrelage, en hommage à Henri Sauvage ou en écho à l'art de Jean-Pierre Raynaud ; zinc et tuiles, déplacés du toit vers les murs ; verre gravé (7, rue Émile-Durkheim, 13ᵉ, par Francis Soler, 1997) et panneaux de résine blancs (22-24, rue des Partants, 20ᵉ, par M.-E. Nicoleau, 2000).

La doctrine fonctionnaliste reste dominante, mais on affiche moins les structures constructives et distributives (sauf les escaliers) que le travail sur les surfaces et les textures. On retourne à l'histoire : image de la forteresse, grand style de Michel-Ange (place de Catalogne, 14ᵉ, par Ricardo Bofill), symétrie palladienne, retour à la typologie de l'immeuble parisien et aux HBM ("salut aux briques rouges du périphérique"). Mais, plus que la citation, on aime la connotation et l'humour.

Traits et motifs distinctifs

High-tech, transparence et occultation : 4-8, rue Francis-de-Croisset, 18ᵉ, cité universitaire, par Architecture Studio, 1995, aluminium perforé et verre.

Variété des volumes : 132 rue des Pyrénées, 20ᵉ, par Michel Bourdeau, 1994.

Retour de la couleur : 9 bis, rue Françoise-Dolto (à l'angle de la rue Elsa-Morante), 13ᵉ.

Retour à l'alignement de la rue et au gabarit traditionnel : place Constantin-Brancusi, 14e, par Antoine Grumbach, Christian de Portzamparc et Jean-Claude Bernard, 1985 : trois immeubles coordonnés autour d'une place de quartier, aux antipodes des tours et barres voisines de Maine-Montparnasse comme de la monumentalité préfabriquée des immeubles, exactement contemporains, de la place de Catalogne toute proche.

Citation, connotation et humour : 11 *bis*, rue Pierre-Nicole, 5e, par ED, 1981, fausse ruine du hall d'entrée.

Nostalgie des années 1920, béton, céramique blanche, pavés de verre, balcons métalliques tubulaires : 62-68, rue de l'Amiral-Mouchez, 14e, par Michel Kagan, 1990.

Retour à l'espace urbain

7-15, rue des Hautes-Formes,
13ᵉ, par Christian de Portzamparc
pour la Régie immobilière
de la ville de Paris, 1979.
Refusant "les constructions en
série qui semblent produites par
des machines", Christian de Portzamparc révise le programme en
substituant aux deux tours initialement prévues huit immeubles
bordant une rue avec trottoirs et
placettes, dont l'entrée est signa-
lée par un arc. L'architecture
renoue ainsi, sinon avec la rue
traditionnelle, du moins avec l'espace intérieur urbain. En jouant
sur la variété de dimension des
immeubles, le contraste de formes
planes et arrondies, de surfaces
aveugles et de surfaces percées
de fenêtres, groupées ou isolées,
l'architecture concertée cherche à
réduire l'effet d'uniformité qui dé-
coule de ces programmes conçus
par îlot et non par parcelle. Si l'enduit blanc renvoie à l'esthétique
moderniste, les fenêtres verticales, qui rappellent la trame des
immeubles anciens, rompent avec
le goût pour les fenêtres en bande.
Dans les vingt ans qui suivent, les
constructions de la Régie immobilière de la ville de Paris (RIVP)
témoignent de ce tournant,
engagé par quelques figures
(Christian de Portzamparc, Jean
Nouvel, etc.) entraînant derrière
elles toute une nouvelle génération, et marquent la renaissance
de l'architecture française sur la
scène internationale.

Alignement sur la rue et variété abstraite

60, rue de la Mare, 20ᵉ,
par Antoine Grumbach, 1980-89.
Dans ce quartier de Ménilmontant,
l'architecte n'a voulu ni détruire ni
réhabiliter, mais "rapiécer" le tissu
ancien en insérant une quinzaine
de petits immeubles neufs le long
d'un itinéraire pentu qui va de la
rue de la Mare à la rue de Ménilmontant, en passant par les rues
de Savies et de l'Ermitage. Ici, à
l'alignement des immeubles pré-
existants, la façade s'anime de

7-15, rue des Hautes-Formes, 13ᵉ.

60, rue de la Mare, 20ᵉ.

18, rue Mathis, 19ᵉ.

44, rue de Ménilmontant, 20ᵉ.

par Édith Girard, 1985 • 127-129, rue Chevaleret, 13ᵉ, par Henri Ciriani, 1991• 16, rue Saulnier, 9ᵉ, par Jacques Lucan, 2000 • 8-14, rue Gasnier-Guy, 20ᵉ, par Janine Galiano, Philippe Simon et Xavier Ténot, 2000 • Angle des rues Leibniz et Jean-Dollfus, 18ᵉ, par Bruno Fortier et David Elalouf, 2001 • 101-113, avenue de France, 13ᵉ : une façade blanche rythmée quasi musicalement par la largeur variable des trumeaux entre les fenêtres.

Modernisme tardif et luxe bourgeois

58, avenue de Saxe, 15ᵉ, par Didier Maufras et Hervé Delatouche pour La Mondiale, 1982.

Dans la ligne de l'architecture internationale des années 1920, la façade, recouverte de grands carreaux de céramique blanche, est composée comme un tableau abstrait aux proportions parfaites (un sur deux) : sur un rez-de-chaussée tout simple, calé sur la maison voisine, juxtaposant les entrées du hall et du parking, deux grandes

baies carrées (regroupant en fait les jours de deux étages), deux fenêtres en bande et une troisième grande baie carrée centrée en défoncé – citation presque directe de la maison Tzara (15, avenue Junot, 18ᵉ, 1926) – affichent l'élégance discrète d'un luxe moderniste. À comparer avec l'immeuble de l'avenue de La Bourdonnais (voir 190).

VOIR AUSSI *37, rue de Tanger, 19ᵉ, par Christine et Dominique Carril, 1994 : rigueur géométrique de la grille constructive, humour du voile de béton du couronnement, pavés de verre à la Pierre Chareau • 4, rue Trolley-de-Prévaux, 13ᵉ, par Pierre-Louis Faloci, 1998 • 54, rue du Moulin-Vert, 14ᵉ, par Platane Berès, 1999.*

58, avenue de Saxe, 15ᵉ.

deux balcons jaune vif, et d'une paroi incurvée en pavé de verre. Si le retour à la rue conduit certains architectes à se fondre dans le tissu ancien, d'autres y développent des variations, plus ou moins réussies, dans la continuité du modernisme rationaliste (44, rue de Ménilmontant, 20ᵉ, par Henri Gaudin pour l'OCIL, 1986 ; 18, rue Mathis, 19ᵉ, par Jean-Pierre Buffi, 1982).

VOIR AUSSI *108, avenue Philippe-Auguste, 11ᵉ, par Gilles Bouchez, 1984 • 64, quai de la Loire, 19ᵉ,*

Collages postmodernes
11 bis, *rue Pierre-Nicole, 5ᵉ, par E.D., 1981.*

Sur une parcelle étroite, entre un immeuble 1890 et un autre 1930, on joue ici sur les citations et les collages, avec un esprit qu'on a dit postmoderne, l'utopie moderniste faisant place à l'humour et à l'ambiguïté. Clin d'œil ou hasard objectif – nous sommes sur un site gallo-romain –, le rez-de-chaussée est traité comme une ruine pompéienne, dans l'esprit du pop art et de *Fellini-Roma*, plus que de l'archéologie savante (voir p. 199). Les cinq étages sont revêtus de céramique blanche en hommage à Henri Sauvage, mais la variété des percements vient masquer l'homogénéité distributive des étages, en

11 bis, *rue Pierre-Nicole, 5ᵉ.*

11 bis, *rue Pierre-Nicole, 5ᵉ (détail).*

rupture avec l'idéologie fonctionnaliste, qui veut que la forme se déduise des structures constructives ou de l'articulation fonctionnelle.

VOIR AUSSI *37, rue de la Duée, 20ᵉ, par Florent L'Hernault, pour les PTT, 1983 : porche et triplet de baies au centre, petites baies carrées détachées latéralement et pignon triangulaire percé d'une grande baie trapézoïdale ; façade revêtue de céramique blanche, essai de réécriture postmoderne des frontispices des villas de Palladio, que l'architecte venait d'étudier en Italie.*

Les matériaux revisités
64, rue de Meaux, 19ᵉ, par Renzo Piano, 1991.

La structure en béton de fibre est fortement affirmée en façade, comme dans les immeubles de Sauvage et de Labussière (voir pp. 158 et 160). Cette trame régulière est remplie, en un équilibre variable selon les faces des immeubles, de tuile plate rouge vif, d'un module

64, rue de Meaux, 19ᵉ.

de 42 x 20 cm, et d'huisseries vitrées. Les fines ramures des bouleaux plantés sur le cheminement entre les blocs participent à cet équilibre sensible.

VOIR AUSSI *13, rue Saint-Jean-Baptiste-de-la-Salle, 6ᵉ, par Canale 3, 1993 : façade en aluminium • Îlot Saint-Bernard, 11ᵉ, par Massimiliano Fuksas, 1994 : façade en zinc • 3, villa Astrolabe, 15ᵉ, par KOZ pour la SIEMP, 2007, et 26, rue Pierre-Rebière, 17ᵉ : façades revêtues de bois • 22, rue Pierre-Rebière, 17ᵉ, pour Paris-Habitat : façade habillée de tôles ondulées ou lisses, perforées • 168, rue de Crimée, 19ᵉ, par Metek architecture, pour la SIEMP, 2012-2015 : façades couvertes de cuivre doré.*

22, rue Pierre-Rebière, 17ᵉ.

L'immeuble-villa

25, rue de l'Ambroisie, 12ᵉ, par
Christian de Portzamparc, 1994.

Dans les années 1960, de multiples projets avaient été élaborés pour la reconversion des vastes terrains des entrepôts de Bercy, site qui faillit devenir un second front de Seine. En 1987, le Conseil de Paris approuva la réalisation d'un parc autour duquel s'organise la ZAC Bercy. Les immeubles qui longent le jardin firent l'objet d'un cahier de charges précis établi par Jean-Pierre Buffi pour en assurer la cohérence formelle.

Ici, Portzamparc s'attache à équilibrer unité et variété contre la monotonie ou le disparate habituels : alternance de grandes et de petites césures entre les volumes des immeubles, contraste entre les trois longues horizontales

25, rue de l'Ambroisie, 12ᵉ (détail).

des balcons traités en coursives et les deux derniers étages traités comme de petites villas posées au sommet, jeu entre les balcons isolés en porte-à-faux devant la large baie des pièces de séjour alternant un étage sur deux avec des balcons filant le long des volumes et franchissant les vides, opposition franche entre la blancheur de la paroi et les panneaux sombres des baies.

VOIR AUSSI *27, rue de l'Ambroisie, 12ᵉ, par Henri Ciriani • 37-43, rue de Pommard, 12ᵉ, par Philippe Chaix et Jean-Paul Morel • 11 bis, avenue de Verzy, 17ᵉ, par Michel Londinsky, 1980 • 44-46, rue Gandon, à l'angle de l'allée Marc-Chagall, 13ᵉ, par Jean Dubus et Jean-Pierre Lott, 1991.*

25, rue de l'Ambroisie, 12ᵉ.

39-41, rue des Longues-Raies / rue Cacheux, 13ᵉ.

Le jeu des coursives et des balcons

19, rue Villiot, 12ᵉ, par Gaëlle Hamonic + Jean-Christophe Masson, pour Paris-Habitat, 2007-2011.

Bâti en cœur d'îlot à côté de tours disparates des années 1970-1980, l'immeuble se distingue par le contraste entre les fines dalles de béton dont le nez est traité en acier inoxydable, et les garde-corps des larges balcons teintés en vert. L'effet de millefeuille est renforcé par le décalage de formes des plateaux d'étage en étage.

VOIR AUSS *123 bis, boulevard Sérurier, 19ᵉ, par Jakob + Mac-Farlane.*

Le retour des oriels

39-41, rue des Longues-Raies / rue Cacheux, 13ᵉ, par Philippe Dubus, pour Paris-Habitat, 2007-2011.

Dans cet îlot de onze tours et barres, l'architecte a introduit ce petit immeuble, qui tranche par la forte saillie sur ses façades de boîtes vitrées – version contemporaine de l'oriel traditionnel – habillées de tôle jaune citron, contrastant avec le revêtement métallique gris pâle.

VOIR AUSSI *16, rue Émile-Chaine, 18ᵉ, par Moussafir architectes, 2005-2010, pour la SIEMP • Hôtel Renaissance Wagram, 37, avenue de Wagram, 17ᵉ, par Christian de Portzamparc, 2003-2008 : un renouvellement spectaculaire du thème du bow-window.*

19, rue Villiot, 12ᵉ (détail).

19, rue Villiot, 12ᵉ.

L'architecture "déconstruite"

*15, rue des Pavillons
et 131, rue Pelleport, 20ᵉ,
par Frédéric Borel, 1999.*

Sur les hauteurs de Ménilmontant, à l'angle de deux rues, se dresse cet immeuble de dix logements, qui tranche avec les immeubles voisins, petites maisons en plâtre du vieux Ménilmontant et grande barre des années 1970. Il appartient à la famille des immeubles atypiques, présente depuis toujours à Paris. On y reconnaît un écho du style de l'architecture "déconstruite" de l'américain Frank O. Gehry (cinémathèque à Bercy ; musée d'art contemporain à Bilbao). Sur le volume vertical, compact, de plan trapézoïdal, se greffent les volumes contrastés de la cage d'ascenseur carrée, de la cage d'escalier ronde et d'un parallélépipède de deux étages contenant les pièces annexes des appartements les plus grands. Des lames de béton obliques, vivement colorées, de longueurs et largeurs différentes, montrant leurs arêtes ou leurs surfaces, viennent déconstruire le volume géométrique de base, qui n'est lisible qu'en plan. Traité comme un grand totem, qui vient vivifier le tissu hétéroclite du quartier, cet immeuble est à la fois un sémaphore et un observatoire, offrant des vues magnifiques sur le centre de Paris depuis ses larges fenêtres et ses coursives ouvertes qui relient les circulations verticales aux appartements.

VOIR AUSSI *100, boulevard de Belleville, 20ᵉ, par Frédéric Borel, 1989 • 113, rue Oberkampf, 11ᵉ, par Frédéric Borel, 1994.*

15, rue des Pavillons, 20ᵉ.

131, rue Pelleport, 20ᵉ (détail).

85, quai de la Gare, 13ᵉ.

La ZAC
Seine-Rive gauche

85, quai de la Gare, 13ᵉ, par
Denise Duart et Jacques Ripault
pour la Régie immobilière
de la ville de Paris, 1997.

Autour de la Bibliothèque nationale de France, dont l'implan-
tation fut décidée en 1987, est
étudié tout un nouveau quartier,
la ZAC Rive gauche, qui fait pendant, de l'autre côté de la Seine,
à la ZAC Bercy. Comme pour
cette dernière, divers archi-

85, quai de la Gare, 13ᵉ (détail).

tectes interviennent dans une
trame urbaine prédéfinie, mais
ils y affirment des choix formels
moins homogènes.

Ici, la façade est traitée comme
un écran abstrait, détaché devant deux volumes d'un gabarit
traditionnel de sept étages, en
écho à la façade plus abstraite
encore de la Fondation Cartier
par Jean Nouvel (voir p. 13) :
le large bandeau blanc qui cou-
ronne les commerces, le grand
cadre fin qui unifie les cinq étages
supérieurs et les fines lames des
pare-soleil (dont l'une est en fait
le nez de la dalle des planchers)
affirment l'horizontalité le long
du quai, horizontalité contreba-
lancée par les deux grands nus
blancs verticaux, sorte d'"anti-

bow-windows", qui marquent la
dualité des blocs d'appartements
confirmée par le vide central que
franchissent d'aériennes coursières plantées.

VOIR AUSSI *5, rue de Bellièvre,*
13ᵉ, par Fabrice Dusapin et Fran-
çois Leclercq pour Habitat social
français, 1987 • 1-13, quai Fran-
çois-Mauriac, 13ᵉ, par Philippe
Gazeau pour I3S, 1997 • 7, rue
Émile-Durkheim, 13ᵉ, par Francis
Soler, 1997 • 8-20, rue Raymond-
Aron, 13ᵉ, par Atelier Hammout-
tène, 2000 : un rythme vif de baies
verticales sur cinq étages, comme
les blanches et les noires sur une
portée de musique, scandé deux
fois par l'ouverture de grandes
loggias superposées.

Maniérismes de façade

4, rue Marie-Louise-Dubreuil-Jacotin, 13ᵉ : placage sur la façade de bois découpé, aux formes végétales, peintes en vert.

Portzamparc a dessiné le plan masse de la ZAC Massena (troisième partie du grand projet Paris Rive gauche, dont les deux premières parties sont Paris-Austerlitz autour de la gare rénovée et Paris-Tolbiac autour de la BnF). Ce nouveau quartier s'étend le long de la Seine – entre la rue Watt et la rue de Tolbiac – sur le principe de la rue ouverte, compromis entre la rue traditionnelle et les blocs isolés sur leur îlot, qui autorise toutes sortes d'expériences. Beaucoup d'expériences tournent souvent de fait à un certain maniérisme de façade.

Ici l'affichage écologique devient pur décor, que sauve cependant un peu d'humour, dans un quartier qui manque de légèreté en dépit des intentions affichées.

VOIR AUSSI *118-120, avenue de France (à l'angle de la rue Neuve-Tolbiac), 13ᵉ, par Rudy Ricciotti : façade en mur-rideau ornée d'un réseau de poutrelles de bois disposées diagonalement de façon aléatoire.*

Recherches typologiques

54-56, rue Pierre-Rebière, 17ᵉ, par Stéphane Maupin, pour Paris-Habitat, 2006-2011.

Dans les ZAC, la Ville confie généralement le dessin urbain du nouveau quartier à un architecte, qui en définit le plan masse. Différents architectes bâtissent ensuite sur les lots. Le souci de se différencier crée bizarrement beaucoup d'homogénéité, car la grammaire de ces immeubles ne se renouvelle guère. Quelques expériences témoignent cependant d'un effort (plus ou moins réussi) pour sortir des typologies convenues ; elles sont particulièrement nombreuses sur l'étroit lotissement de la rue Pierre-Rebière, où s'affirme l'inventivité d'une nou-

72, rue Pierre-Rebière, 17ᵉ.

velle génération.

VOIR AUSSI *72, rue Pierre-Rebière / 2, rue Saint-Just, 17ᵉ, par Raphaëlle Hondelatte et Matthieu Laporte, pour Paris-Habitat : trois volumes verticaux de plateaux ondulés, vivement colorés, qui prolongent en hors-d'œuvre les appartements, offrent un contrepoint allègre aux volumes contrastés des deux immeubles (R + 4 et R + 9).*

4, rue Marie-Louise-Dubreuil-Jacotin, 13ᵉ.

54, rue Pierre-Rebière, 17ᵉ.

Au cœur du Grand Paris (horizon 2030)
Quel avenir pour le paysage urbain ?

"Le retour des tours n'est ni une fatalité, ni une nécessité historique. La capitale des États-Unis, Washington, est en totale limitation de hauteur, tout comme le sont Rome, et dans une moindre mesure, New Delhi. (…) L'audace, c'est de faire émerger une architecture complémentaire du génie déjà existant du bijou universel qu'est Paris."
(Harold Hyman, 1er juin 2012, réponse à l'éditorial du *Monde* du 26 avril 2012)

Au début du XXIᵉ siècle, le cœur de Paris semblait fixé dans sa beauté mondialement célébrée ; certains l'accusaient même d'être figé, « patrimonialisé », voire muséifié ou même momifié. Rien n'est plus faux. Certes, la municipalité semblait aller dans ce sens en créant en 2005 la « Protection Ville de Paris », liste de plus de 4 600 immeubles protégés ; mais, dans le même temps, aux franges de la ville haussmannienne – et même en son centre –, le paysage urbain change toujours plus vite que le cœur des hommes, pour reprendre le mot de Baudelaire.

Il s'agit d'îlots entiers du nouveau Paris haussmannien et post-haussmannien, bâtis de grands immeubles administratifs, commerciaux ou sanitaires qui doivent, ou devront, dans les deux décennies à venir, changer d'affectation : îlots de la Samaritaine, de la grande Poste centrale, hôpitaux Boucicaut et Saint-Vincent-de-Paul, etc. Les restructurations portent parfois seulement sur les espaces intérieurs, sans affecter directement le paysage urbain (comme pour la Poste centrale) mais il y a des exceptions de taille, à l'instar de la Samaritaine pour laquelle on propose une nouvelle façade de verre, ultra-contemporaine, sur l'artère historique de la rue de Rivoli. Le bouleversement est beaucoup plus profond dans les arrondissements périphériques. Les friches industrielles (entrepôts Macdonald) et ferroviaires (gare d'Austerlitz et gare de triage des Batignolles) sont l'occasion de mettre en place des ZAC (zones d'aménagement concerté) qui permettent de restructurer le tissu urbain et de créer des quartiers neufs homogènes, terrains ouverts à toutes les expériences architecturales.

Ce mouvement, engagé dès 1991 avec la mise en place de la ZAC Paris-Austerlitz, s'est accéléré depuis 2005-2007 avec l'ouverture de la ZAC Clichy-Batignolles, au point qu'on a pu à juste titre comparer en importance et en ambition la politique parisienne des ZAC aux travaux d'Haussmann.

Mais l'événement qui fait rupture et date est le vote en 2010 d'une modification importante du PLU (plan local d'urbanisme) adopté en septembre 2006 : la hauteur maximum des immeubles est portée de 37 à 180 mètres, soit un retour aux gratte-ciel interdits en 1977 (voir

Projet présenté par
l'architecte Richard
Rogers pour le centre
de Paris, dans le
cadre du Grand Paris.

p. 192-195). Ce tournant s'inscrit dans le contexte de la réflexion ouverte par la Ville, à la fois dans la perspective du « Grand Paris », lancée en 2009, de « Paris métropole 2020 » (exposition au pavillon de l'Arsenal), ou encore de « Paris 2030 », promu par la Ville en 2011.

Immédiatement, les projets se sont multipliés. Certains dessins pour des immeubles de grande hauteur s'affichaient délibérément comme des manifestes utopiques dans le cadre de l'exposition sur le Grand Paris, mais d'autres s'inscrivent dans le plan masse de ZAC en cours et s'affirment comme opérationnels à court terme (voir p. 217).

On le voit, le remarquable paysage urbain de façades qui nous occupe ici est soumis, depuis ces dernières années, à des tensions fortes et contradictoires. Jamais sans doute ce paysage n'a été mieux connu, aimé et protégé contre les altérations, surélévations et destructions ; en même temps, de par l'attraction même qu'il suscite, sans doute n'a-t-il jamais été aussi menacé. De leur côté, les vastes quartiers à aménager, qui semblaient ouvrir un vaste champ pour toute une génération d'architectes,

ressemblent souvent, en dépit des efforts de multiples protagonistes, plus au triste sigle qui les désigne – ZAC – qu'à des terrains d'aventure et de poésie.

Que nous promettent les deux décennies à venir ? Un patrimoine architectural fragilisé par sa valeur financière, dans un tissu où les zones de fracture, grandes ou petites, permettront l'intrusion d'immeubles de grande hauteur, ou tranchant trop avec l'environnement par leur modernité brutale ? Ou un centre-ville protégeant une beauté architecturale et paysagère, qui a maintenant trouvé son équilibre, et une périphérie contemporaine issue des ZAC, scandée de tours, donnant au « Paris 2030 » les propylées contemporains dont rêvait la génération des années 1930 ?

On ne peut préjuger de ce que seront le profil et le visage de Paris à cet horizon. Ce qu'une municipalité a décidé, une autre peut le défaire ; ce qu'une conjoncture économique a favorisé, une autre peut l'annihiler. Le destin des quelque 100 000 immeubles de Paris, dont seuls 5 % environ sont protégés d'une manière ou d'une autre, est entre les mains des Parisiens qui sauront en rester amoureux.

L'AVENIR DU PASSÉ

La hausse vertigineuse du prix de l'immobilier depuis six ou sept ans bouleverse insidieusement un paysage qui paraissait immuable. Métropole internationale, Paris semble surtout attractive pour les nouveaux riches arabes, russes, et bientôt chinois, qui ont les moyens de rénover en profondeur leurs acquisitions, sans avoir toujours une familiarité respectueuse avec le patrimoine architectural parisien.

L'attention de plus en plus grande portée par un public élargi au paysage urbain le plus modeste permet cependant d'espérer que celui de Paris 2030 conservera pour l'essentiel son caractère, et continuera de se distinguer de celui de Londres, d'Abou Dhabi et de Shanghai, comme au XIXᵉ siècle Venise s'est distinguée de Gênes, Milan et Paris.

Les immeubles PVP (« Protection Ville de Paris »)

Exemples d'immeubles « PVP », protégés au titre du PLU :
11, rue Christine, 6ᵉ, 1607.
25, rue de l'Arbre-Sec, 1ᵉʳ, XVIIIᵉ siècle.
26, boulevard de Bonne-Nouvelle, 10ᵉ, vers 1845.

La valeur du patrimoine paysager urbain est aujourd'hui assez largement reconnue, aussi bien par les édiles parisiens que par le public. La politique de façadisme ayant marqué ses limites, la municipalité a créé en octobre 2006 une protection particulière, la « Protection Ville de Paris », ou PVP ; une liste de plus de 4 600 immeubles a été établie, soit près de 5 % des quelque 100 000 immeubles de Paris intra-muros, auxquels s'ajoutent les 1 900 immeubles protégés, inscrits ou classés par le service des monuments historiques, et des immeubles signalés pour leurs traits morphologiques particuliers (TMP). Ces immeubles « PVP » et « TMP » doivent faire (en principe) l'objet

d'une attention particulière des services de la Ville comme de la Commission du Vieux Paris, contre altérations et destruction. Dans cette liste sont inclus beaucoup d'immeubles du XIXᵉ siècle, sous-représentés dans les inscriptions et les classements du service des Monuments historiques, en dépit de la réévaluation de l'architecture éclectique depuis les années 1980. On y trouve aussi de très modestes maisons des anciens villages et faubourgs, d'un ou deux étages sur rez-de-chaussée, fragilisées par leur gabarit, mais aussi bien souvent par leur vétusté. Protéger ces immeubles singuliers, dont les traits morphologiques – une architecture de plâtre sans moulures – n'ont de remarquable que leur saveur villageoise, qui tranche avec les immeubles bourgeois, haussmanniens et post-haussmanniens, c'est pérenniser un paysage urbain savoureux, qui juxtapose des maisons de hauteur très différentes (voir p. 6-7). Il s'agit aussi de sauver la mémoire de l'histoire de la ville.

De gauche à droite :
11, rue Christine, 6ᵉ ; 25, rue de l'Arbre-Sec, 1ᵉʳ ;
26, boulevard de Bonne-Nouvelle, 10ᵉ.

La Commission du Vieux Paris

11, place Adolphe-Chérioux, 15ᵉ, par Marcel et Robert Hennequet, 1933 : demande de remplacement des menuiseries extérieures déposée en décembre 2012, mais le rythme vertical dominant des nouvelles huisseries initialement projetées effaçait le subtil contraste entre le volume vertical des doubles bow-windows et le discret contrepoint des huisseries horizontales de la façade primitive (voir façade ci-contre).

Créée en 1897, illustrée par les figures de Marcel Poëte (secrétaire de 1914 à 1920), de Louis Bonnier (créateur du Casier archéologique, artistique et pittoresque de la Seine en 1917), ou encore de Michel Fleury (secrétaire de 1975 à 2001), la Commission du Vieux Paris donne des avis pour éclairer le Maire dans ses décisions sur les permis de démolir et de construire. Elle joue donc un rôle essentiel dans l'évolution du paysage urbain, si le Maire veut bien suivre ses avis.

Depuis l'adoption du dernier PLU en 2006, les demandes portant le plus atteinte à ce paysage sont des demandes d'autorisation de surélévations (qui détruisent les proportions des façades), de création de terrasses (qui altèrent la silhouette de l'immeuble, ainsi que le paysage des toits), ou encore de pose de revêtements d'isolation à l'extérieur (qui viennent noyer les moulures) et de changements

11, place Adolphe-Chérioux, 15ᵉ.

d'huisseries (qui sont pourtant des constituants essentiels de l'écriture architecturale).

La jurisprudence de la Commission a été de refuser presque toujours les surélévations, dès que la façade présente une ordonnance, ou témoigne d'une histoire faubourienne ou villageoise. Mais elle se montre aussi attentive à tout ce qui pourrait altérer l'écriture architecturale de détail, comme le remplacement des huisseries.

VOIR AUSSI *75, rue des Plantes, 14ᵉ, immeuble de rapport par Eugène Larmée, 1905 : le copropriétaire du dernier étage a déposé une demande de surélévation pour l'extension de son habitation. On imagine sans peine que faire disparaître la haute toiture pour surélever l'immeuble dénature cette belle façade éclectique.*

75, rue des Plantes, 14ᵉ.

Typologies anciennes, matrice du futur

Immeuble, 317, rue de Belleville, 19ᵉ, par Odile Seyler, pour RIVP, 2007 : l'étroite façade de cinq travées verticales, dont trois en brique au centre, est une habile variation contemporaine de la typologie de l'immeuble parisien.

Dans la continuité des recherches conduites, sous la direction d'André Chastel, par Françoise Boudon et Jean Blécon sur la typologie des immeubles parisiens (*Système de l'architecture urbaine, Le quartier des Halles à Paris*, 1977), les principales Écoles d'architecture de Paris ont depuis une trentaine d'années développé un enseignement de grande qualité sur le bâti parisien (voir Jacques Frédet, *Les Maisons de Paris*, 2003), qui a marqué la pratique de la nouvelle génération appelée à intervenir dans des tissus anciens. Le rythme vertical des travées, les espacements aléatoires des trumeaux, les surfaces de plâtre blanc cassé sont autant de sources de réflexion et d'inspiration, s'insérant en douceur dans des séquences de façades anciennes.

VOIR AUSSI *109-111, rue de Patay, 13ᵉ, par Patricia Leboucq, pour RIVP, 2001 : trame ancienne de travées verticales accentuées, recoupées par de gros bandeaux horizontaux, avec des matériaux contemporains (béton préfabriqué et volets de tôle d'aluminium) • 49-51, rue Léon-Frot, 11ᵉ, par Jacques*

317, rue de Belleville, 19ᵉ.

Lucan, pour la SGIM, 2000-2003 : façades en stucco ciré, dans la veine de l'architecture de plâtre faubourienne • 168 bis-170, rue Raymond-Losserand, 14ᵉ, par Emmanuel Saadi, pour SAGI, 2008 : transformation d'une ancienne sous-station électrique, dont l'ossature a été conservée et les vides remplis par un vitrage support de cellules photovoltaïques • 109-111, rue de Ménilmontant, 20ᵉ, par Gaëlle Hamonic et Jean-Christophe Masson, pour Paris-Habitat, 2008 : pour racheter la pente, la façade est partagée en trois parties d'inégale largeur, animées par le rythme varié des baies verticales et par le contraste entre les enduits et le revêtement au centre.

UN PARIS PLUS CONTEMPORAIN ET PLUS ÉCOLOGIQUE

La Ville est partie prenante, par l'intermédiaire des ZAC, ou plus in-directement par le soutien ou l'en-cadrement d'investisseurs privés, dans la réhabilitation des friches industrielles ou ferroviaires, mais aussi d'îlots entiers du centre, où de grands immeubles doivent changer d'affectation.

Cette politique s'inscrit dans la longue durée, puisque la ZAC Paris Rive gauche avait été initiée sous le nom de Seine Rive gauche dès 1991. Mais dans les années 2000, les ZAC se multiplient et les sur-faces deviennent de plus en plus grandes (ZAC Paris Rive gauche sur 130 hectares dans son exten-sion maximum ; ZAC Amandiers en 2000 ; ZAC Cardinet-Chalabre créée en juin 2005 sur 7 hectares ; ZAC Clichy-Batignolles créée en février 2007 sur 54 hectares, avec 3 400 logements neufs à l'horizon 2014. À ces opérations s'ajoute le nouveau dispositif du GPRU (Grand projet de renouvellement urbain) créé en 2004, opérant sur onze sites, comme les Olym-piades. En 2011, une exposition du pavillon de l'Arsenal rendait compte de trente-sept opéra-tions d'aménagement portant sur 940 hectares, soit un dixième du territoire de Paris intra-mu-ros. Les ZAC étaient et restent l'occasion de multiples expé-riences techniques et formelles, sur les volumes comme sur les revêtements, qui tranchent avec la médiocrité dominante dans les années 1960-1970.

Le « plan climat » adopté par la Ville en 2007 n'a heureusement que peu d'impact direct sur les façades anciennes : après quelques expériences malheureuses, il semble qu'on ait renoncé à un re-vêtement thermique extérieur, car il efface toutes les modénatures qui donnent leur caractère aux façades même les plus modestes.

En revanche, dans les ZAC, cette dimension écologique intègre et parfois détermine la structure des nouveaux immeubles, voire d'îlots entiers (ZAC Pajol). Le plus sou-vent il s'agit de données essentiel-lement techniques sans grande influence sur le paysage urbain des rues (panneaux solaires, matériaux isolants), mais on a vu aussi apparaître de spectaculaires façades vertes.

179 *bis*, quai de Valmy, 10ᵉ.

149-151, rue Cardinet, 17ᵉ.

Des façades écologiques ?

Immeubles, 149-151, rue Cardinet, 17ᵉ, par Périphériques architecte et par Franklin Azzi, 2013.

Construits dans la ZAC Clichy-Batignolles entre le parc Martin-Luther-King et la rue Cardinet, dessinés par l'urbaniste François Grether, ces deux immeubles sont destinés à offrir les meilleures performances climatiques. Dans le premier, un toit conçu pour porter des panneaux photovoltaïques permet de profiter au mieux de l'ensoleillement ; à l'arrière, une peau métallique d'aluminium perforé et plissé assure une régulation thermique opti-

male ; enfin, de grands balcons de bois ouvrent vers le jardin et le soleil. Dans le second immeuble, de multiples enveloppes se donnent à voir comme dans un écorché.

VOIR AUSSI *Cité Eden Bio, 21, rue des Rigoles, 20ᵉ, par Édouard François, pour Paris-Habitat, 2003-2009 • Éco-quartier de l'opération Paris-gare de Rungis, entre le boulevard Kellermann et la rue Brillat-Savarin (13ᵉ) • 179 bis, quai de Valmy, 10ᵉ, par Emmanuel Saadi, 2008 (voir illustration en page précédente) : façade plate à l'alignement de la rue, composée de cellules photovoltaïques organisées en minces travées de largeur variable.*

149-151, rue Cardinet, 17ᵉ.

Des façades végétalisées

BHV hommes, 38, rue de la Verrerie, 4ᵉ, par Patrick Blanc, 2007.

Patrick Blanc a réalisé le premier « mur végétal » en 1986 à la Cité des sciences, et un second en 1998 à la Fondation Cartier (voir p. 13). Ici, au dessus du rez-de-chaussée, s'élève un jardin vertical de quatre niveaux.

Depuis, les réalisations se sont multipliées, plus souvent pour des hôtels, des immeubles commerciaux ou des bureaux que pour des immeubles d'habitation. Cette formule de jardin vertical a aussi été proposée, élégante réponse, pour traiter des murs aveugles.

VOIR AUSSI *Hôtel Pershing Hall, espace Velda, 8ᵉ, par Patrick Blanc, 2001 • 21, rue d'Alsace (sur cour), 10ᵉ, par Patrick Blanc, 2008 • « Tower Flower », 23, rue Albert-Roussel, porte d'Asnières, 17ᵉ, par Édouard François, pour l'OPAC Paris, 2009 : balcons garnis de 380 pots fixes, avec arrosage intégré, plantés de diverses variétés de bambous, mais toutes les plantes ne se soumettent pas aux caprices décoratifs des architectes • M6B2, « tour de la bio-diversité », 13ᵉ, par Édouard François, 2014 : tour de 50 mètres, destinée à illustrer la biodiversité au cœur de Paris.*

38, rue de la Verrerie, 4ᵉ.

LA QUESTION DES TOURS

En 1977, une plus grande sensibilité patrimoniale du président Giscard d'Estaing et la crise du pétrole avaient marqué à Paris le coup d'arrêt à la construction d'immeubles de grande hauteur (voir p. 192-195).

Depuis, la mondialisation a créé de nouveaux horizons : les gratte-ciel des villes du Golfe ou de la nouvelle Chine ont créé des rêves urbains inédits, que la crise actuelle ne décourage pas, au moins sur le papier. Une actuelle génération d'architectes arrive qui défend maintenant la politique de réhabilitation des immeubles de grande hauteur, et d'autres rêvent d'en bâtir. Mais à La Défense, crise oblige, la construction de nouvelles tours piétine, et on abandonne le beau projet de la tour Phare.

Aussi, on comprend mal qu'en 2010 la municipalité ait modifié son propre PLU, adopté quatre ans plus tôt, pour autoriser la construction d'immeubles de grande hauteur, comme s'il fallait démontrer que « dans la compétition internationale des grandes capitales, Paris n'a pas abdiqué toute audace, tout désir d'innovation architecturale, toute capacité de réinventer son propre paysage », alors même que la ville de Paris est déjà plus dotée en tours et gratte-ciel que les autres capitales européennes. C'est aussi oublier une fois de plus que les gratte-ciel ne vont bien qu'en troupeau, et que leur hauteur est un contresens dans une ville cernée de collines.

Le mieux n'est-il pas l'ennemi du bien ? Quand un paysage urbain est parfait, peut-il être plus que parfait ?

Détruire les tours

10, rue Émile-Borel, 17ᵉ : demande de démolition totale de cette tour de dix-sept étages, appartenant à Paris-Habitat, déposée en 2011.

Comme on le fait dans les banlieues, on commence à détruire à Paris quelques tours, jugées non réhabilitables. En revanche, la Ville n'a pas saisi l'occasion du désamiantage nécessaire de la tour Zamansky de l'université Pierre-et-Marie-Curie pour l'effacer du centre de la ville.

VOIR AUSSI *Tour T2, rue Franc-Nohain, 13ᵉ, détruite en 2012.*

10, rue Émile-Borel, 17ᵉ.

5, boulevard Bois-le-Prêtre, Tour Bois-le-Prêtre, 17ᵉ.

Restaurer les tours

5, boulevard Bois-le-Prêtre, Tour Bois-le-Prêtre, 17ᵉ, par Raymond Lopez, « relookée » par Anne Lacaton et Philippe Vassal, pour Paris-Habitat (ex-Opac), 2008-2009.

Bâtie par Raymond Lopez en 1959-1961, cette tour avait été rénovée de manière catastrophique en 1983 en étant revêtue de plaques d'amiante et d'huisseries en PVC. Cette seconde rénovation obéit aux nouvelles normes écologiques : la structure d'origine a été enveloppée de balcons à larges baies et équipée de capteurs solaires. La qualité de cette réhabilitation a été reconnue par l'« Équerre d'argent » 2011, décernée à ses architectes.

VOIR AUSSI *Rue Nationale, 13ᵉ, barre réhabilitée par Christian de Portzamparc, 1995, une réalisation pionnière.*

Le retour des tours

Tour Duo, boulevard du Général-Jean-Simon, 13ᵉ, par Jean Nouvel, pour le quartier Masséna de la ZAC Paris Rive gauche ; projet approuvé par la ville en avril 2012 ; achèvement prévu en 2018.

« Esthétique de chaos contenu » : une tour de 115 mètres et une autre de 175 mètres, aux « façades colorées et vibrantes » en métal et en verre, à la « silhouette au déhanchement étonnant », légèrement désaxées dans l'axe de l'avenue de France, artère majeure de la ZAC Paris Rive gauche.

VOIR AUSSI *« Tour Triangle », porte de Versailles, 15ᵉ, par Jacques Herzog et Pierre de Meuron, projet 2008, achèvement prévu en 2017, pour Unibail-Rodamco, sur le terrain du Parc des expositions • Projet de palais de justice par Renzo Piano, 2012-2015, pour le quartier des Batignolles.*

jet de tour Duo, Ateliers Jean Nouvel, boulevard du Général-Jean-Simon, 13ᵉ.

DE NOUVEAUX PROPYLÉES POUR PARIS ?

Paris s'est construit dans les limites concentriques de ses fortifications, du mur de Philippe-Auguste à l'enceinte de Thiers. Les enceintes se sont métamorphosées en boulevards plantés, bordés d'immeubles-monuments. L'occasion historique d'établir une ceinture verte sur l'ancien glacis des fortifications voulues par Thiers en 1840 et démantelées après 1918 ayant été manquée, la Ville est aujourd'hui définie symboliquement (sinon administrativement) par le boulevard périphérique, auquel manquent ironiquement les arbres qui caractérisent les autres boulevards. Pour marquer ses entrées, la Ville a eu successivement des portes fortifiées, puis quelques arcs de triomphe, « les Propylées » dessinés par Ledoux pour l'enceinte des Fermiers Généraux, puis des places ou des esplanades souvent informes, bordées d'immeubles qui ne peuvent jouer le rôle de signal. Aussi, d'aucuns semblent rêver à l'horizon 2030 de gratte-ciel venant marquer un certain nombre des « portes » de Paris, ce qui est un peu contradictoire avec l'idée d'un Grand Paris.

Les architectes des années 1930 avaient une idée plus moderne : c'était l'« Aéroport du Bourget », qui constituait désormais les nouveaux propylées de Paris.

ORIENTATION BIBLIOGRAPHIQUE

Sources

Paris ancien

Le Muet (Pierre), *Manière de bâtir pour toutes sortes de personnes*, Melchior Tavernier, 1623.
Tiercelet (Gilles), *Architecture moderne ou l'art de bien bâtir pour toutes sortes de personnes*, Claude Jombert, 1728, (rééd., Minkoff, Genève, t. 2, 1973).
Neufforge (Jean-François de), *Recueil élémentaire d'architecture*, 1757-1780 (rééd. New York, 1967), t. 3-4.

Paris moderne

Normand [fils] (Louis-Marie), *Paris moderne ou Choix de maisons construites dans les nouveaux quartiers de la capitale et de ses environs*, chez l'auteur, Bance fils, et Carilian-Goeury, 1837.
Thiollet (François), *Choix de maisons, édifices et monuments de Paris et de ses environs, construites pendant les années 1820 à 1829*, Bance aîné, 1838.
Calliat (Victor), *Parallèle des maisons de Paris construites depuis 1830 jusqu'à nos jours*, B. Bance, 1850.
Vacquer (Théodore), *Maisons les plus remarquables de Paris, conduites pendant les trois dernières années*, Alphonse Caudrilier, 1861.
Calliat (Victor), *Parallèle des maisons de Paris construites depuis 1850 jusqu'à nos jours*, A. Morel et Cⁱᵉ, 1864.
Daly (César), *L'Architecture privée sous Napoléon III, nouvelles maisons de Paris et des environs*, vol. I, t. 2, "Maisons à loyer", A. Morel, 1865 (idem, 2ᵉ série, Ducher, 1872 ; 3ᵉ série, Ducher, 1877).
Planat (Paul), *Habitations à loyer, 3ᵉ série, Maisons de rapport*, Aulanier et Cⁱᵉ, 1896.
Gelis (P.) avec le concours de Th. Lambert, *La Construction privée à la fin du xixᵉ siècle, hôtels et maisons de Paris*, Librairies

et imprimeries réunies, 1893.
Darvillé (Will) et Lucas (Charles), *Les Habitations à bon marché en France et à l'étranger*, Librairie de la Construction moderne, 1899 (rééd. revue, 1913).
Lambert (Théodore), *Nouvelles constructions avec bow-windows, loggias, tourelles, avant-corps*, Ch. Schmid, [1899].
Lambert (Théodore), *Nouveaux éléments d'architecture. Nouvelles constructions en matériaux variés, grès, faïences, briques, bronze*, Ch. Schmid, [s.d.].
Raguenet (Antonin), *Monographies de bâtiments modernes*, E. Duchet, [de 1889 à 1910].
Rivoalen (Émile), *Maisons modernes de rapport et de commerce*, G. Fanchon, [1903-1906].
Les concours de façades de la ville de Paris, 1898-1905, [1906].
Lefol (Gaston), *Grandes constructions à loyers économiques*, Massin, [vers 1909].
Lefol (Gaston), *Immeubles modernes de Paris, façades, plans, sculptures*, Charles Massin, [1914].
Bonnier (Louis), *Maisons les plus remarquables construites à Paris de 1905 à 1914*, 1920.
Badovici (Jean), *Les maisons de rapport de Charles Plumet*, Albert Morancé, 1923.
Fleury (Gaston), *Nouvelles maisons de rapport à Paris, d'après les types les plus récents*, Charles Massin, 1926.
Defrance (Henri), *Nouveaux immeubles : façades, plans, détails*, Charles Massin, 1926.
L'Illustration, numéro spécial "La Maison", mars 1929.
Delaire (Jacques) et Sage (Jacques), *Immeubles en briques pour petits appartements*, S. de Bonadona, 1931.
Paris, la métropole et ses projets, Pavillon de l'Arsenal, 2011.

Revues

La Revue générale de l'architecture et des travaux publics, sous la direction

de César Daly (1840-1888).
La Construction moderne (depuis 1885).
L'Architecture, revue de la Société centrale des architectes (1888-1939).
L'Architecte, revue de la Société des architectes diplômés par le gouvernement (1906-1914, 1924-1935).
L'Architecture d'aujourd'hui (depuis 1930).
L'architecture française (1940-1975).
AMC (Architecture, mouvement, continuité), numéros spéciaux sur les réalisations de l'année, 1997, 1998, 1999, 2000.
Procès-verbaux de la Commission du Vieux Paris.

Études

Instruments de travail

Atget-Paris (Laure Beaumont-Maillet éd.), F. Hazan, 1992.
Dugast (Anne) et Parizet (Isabelle), *Dictionnaire par noms d'architectes des constructions élevées à Paris aux xixᵉ et xxᵉ siècles, Première série, 1876-1899*, Commission des travaux historiques, 1990-1996, 4 vol.
Gallet-Guerne (Danielle) et Bimbenet-Privat (Michèle), *Balcons et portes cochères à Paris : permis de construire... (1637-1789)*, Archives nationales, 1992.
Parizet (Isabelle), "Inventaire des immeubles parisiens datés et signés antérieurs à 1876", dans *Cahiers de la Rotonde*, n° 24, 2001.

Études générales

Dumont (Marie-Jeanne), "Du vieux Paris au Paris nouveau, Abécédaire d'architecture urbaine", *Le Débat*, n° 80, 1994, pp. 5-35.
Flannery (Rosemary), *Angels of Paris*, The Little Book Room, New York, 2012.
Fredet (Jacques), *Les Maisons de Paris*, éd. de l'Encyclopédie des Nuisances, 2003, 3 vol.
Goy-Truffaut (Françoise), *Paris façades, un siècle de sculptures décoratives*,

Hazan, 1989.

Hatte (Hélène) et Tran (Frédéric), *Paris, 300 façades pour les curieux*, Bonneton, 2000.

Lapierre (Éric), *Identification d'une ville, architectures de Paris*, Pavillon de l'Arsenal/Picard, 2002.

Larbodière (Jean-Marc), *Reconnaître le style des façades, du Moyen Âge à nos jours, à Paris*, Massin, 2000.

Lucan (Jacques), *Eau et gaz à tous les étages, Paris, 100 ans de logement*, Pavillon de l'Arsenal/Picard, 1992.

Moley (Christian), *Regard sur l'immeuble privé, Architecture d'un habitat (1880-1970)*, Le Moniteur, 1999.

Matériaux et types

Chaslin (François), *Les Fontes ornées ou l'architecture de catalogue*, ENSBA, 1978.

Chaudun (Nicolas et Laurence), *Paris céramique, Les couleurs de la rue*, Paris Musées/Somogy, 1998.

Delorme (Jean-Claude) et Dubois (Anne-Marie), *Ateliers d'artistes à Paris*, Parigramme, 1998.

Dumont (Marie-Jeanne), *La Brique à Paris*, Pavillon de l'Arsenal/Picard, 1991.

Dumont (Marie-Jeanne), *Le Logement social à Paris, 1850-1930*, Mardaga, Liège, 1991.

Hammoutène (Franck), *Le Béton à Paris*, Pavillon de l'Arsenal/Picard, 2002.

Marrey (Bernard), *Le Fer à Paris, architectures*, Pavillon de l'Arsenal/Picard, 1989.

Marrey (Bernard), *Matériaux de Paris*, Parigramme, 2002.

Guides par quartier

Babelon (Jean-Pierre), Fleury (Michel), Sacy (Jacques de), *Richesses d'art du quartier des Halles, maison par maison*, Arts et métiers graphiques, 1967.

Boudon (Françoise), Chastel (André) et *alii*, *Système de l'architecture urbaine, Le quartier des Halles à Paris*, Éditions du CNRS, 1977.

Catalogues de la "Délégation à l'Action artistique de la ville de Paris" (DAAVP), collection "Paris et son patrimoine", notamment : Étienne (Pascal), *Le Faubourg Poissonnière, architecture, élégance, décor*, 1986 ; Szambien (Werner), *De la rue des Colonnes à la rue de Rivoli*, 1992 ; *La Rue des Francs-Bourgeois*, sous la direction d'Alexandre Gady, 1992 ; *La Place Royale*, sous la direction d'Alexandre Gady, 1996 ; *La Rue du Faubourg-Saint-Honoré*, sous la direction de Dominique Fernandès et Béatrice de Andia, 1994 ; *Autour de l'Opéra*, sous la direction de François Loyer et Jean-François Pinchon, 1995 ; Texier (Simon), *Le 13e arrondissement, Itinéraires d'histoire et d'architecture*, DAAVP, 2000.

Gady (Alexandre), *Le Marais, guide historique et architectural*, Le Passage, 2004 (1re éd., Carré, 1994).

Gady (Alexandre), *La Montagne Sainte-Geneviève et le Quartier latin, guide historique et architectural*, Hoëbeke, 1998.

Gady (Alexandre), *La Place Saint-Georges et son quartier*, Paris-Musées, 2003.

Le XVIe arrondissement, mécène de l'art nouveau, 1895-1914, DAAVP, 1994. [inventaire pp. 74-81]

Le Guide du patrimoine, Paris, sous la direction de Jean-Marie Pérouse de Montclos, Hachette, 1994.

Le Paris ancien

Babelon (Jean-Pierre), *Demeures parisiennes sous Henri IV et Louis XIII*, Hazan, 1991 (1re éd., Le Temps, 1965).

Cabestan (Jean-François), *La Conquête du plain-pied : la naissance de l'immeuble à Paris au XVIIIe*, Picard, 2004.

Gallet (Michel), *Demeures parisiennes, l'époque de Louis XVI*, Le Temps, 1964.

Gallet (Michel), *Paris Domestic Architecture of the 18th Century*, Barrie & Jenkins, Londres, 1972.

Moël (Michel), *L'architecture privée à Paris au Grand siècle*, Service des travaux historiques de la ville de Paris, 1990.

Rambaud (Mireille), "Une famille d'architectes : les Delespine", *Archives de l'Art français*, t. XXIII, 1968.

Immeubles du XIXe siècle

Borsi (Franco) et Godoli (Ezio), *Paris art nouveau, architecture et décoration*, Mark Volkar, 1989.

Boudon (Françoise), "La maison à loyer de la ville haussmannienne", dans *Revue de l'art*, n° 79, 1988, pp. 63-72.

Cantelli (Marilù), *L'illusion monumentale, Paris, 1872-1936*, Mardaga, Liège, 1991.

Daumard (Adeline), *Maisons de Paris et propriétaires parisiens au XIXe siècle*, Cujas, 1965.

Loyer (François), *Paris XIXe siècle, L'immeuble et la rue*, Hazan, 1987.

Pinon (Pierre), *Atlas du Paris haussmannien*, Parigramme, 2002.

Ragache (Gilles), *Histoire d'une famille d'architectes parisiens, du premier Empire à la Belle Époque*, Éditions Charles Hérissey/Airelles, 2003.

Immeubles du XXe siècle

Chemetov (Paul), Dumont (Marie-Jeanne), Marrey (Bernard), *Paris-Banlieue, 1919-1939, Architectures domestiques*, Dunod/Bordas, 1989.

Delorme (Jean-Claude) et Chair (Philippe), *L'École de Paris, Dix architectes et leurs immeubles, 1905-1937*, Le Moniteur, 1990.

Lapierre (Éric), *Guide d'architecture, Paris, 1900-2008*, éd. du Pavillon de l'Arsenal, 2008.

Lemoine (Bertrand) et Rivoirard (Philippe), *Paris, L'architecture des années trente*, DAAVP/La Manufacture, 1987.

Martin (Hervé), *Guide de l'architecture moderne à Paris*, Éditions Alternatives, 2001 (1re éd. 1987).

Schein (Ionel), *Paris construit, Guide d'architecture contemporaine*, Vincent, Fréal et Cie, 1970.

Paris moderne, 1977-1986, L'Équerre/RIVP, 1986.

INDEX

Les **caractères gras** signalent des mentions accompagnées d'une illustration.

Remerciements

À tous les historiens de Paris, anciens et modernes, cités dans la bibliographie, et particulièrement à Alexandre Gady, qui m'a évité quelques faux-pas, ainsi qu'à Jean-Pierre Commun, à qui je dois la date inédite "1828" de la façade du passage du Caire, qui lui date de 1799.

Crédits photographiques

Les photographies sont de Jacques Lebar, à l'exception des figures suivantes :

- Archives Mignot : 2, 6-7, 10, 11, 14dh, 15db, 16b, 16h, 17gb, 17md, 17db, 26, 31g, 32h, 32b, 33b, 44, 47, 48d, 49g, 50h, 52, 57g, 57d, 58dh, 58db, 61d, 63h, 65d, 66db, 74b, 75g, 80g, 89d, 92gb, 92db, 97gh, 108db, 112h, 113gh, 113gb, 113db, 115gb, 115dh, 122g, 122db, 124, 125g, 125d, 126g, 127d, 128, 132d, 133gm, 133gb, 135, 139, 140b, 141dh, 141db, 144gb, 154gm, 171b, 171h, 176g, 176 dh, 176db, 177dh, 181db, 198d, 201gb, 211b.
- Archives nationales : 79, 87, 95.
- © Ateliers Jean Nouvel : 217.
- Bibliothèque du musée des Arts décoratifs (clichés Jean-Michel Drouet et Claude Mignot) : 4, 18, 68, 103, 111, 121, 131, 143, 153, 163.
- Centre André Chastel : 71.
- Collection Parigramme : 210.
- DR : 211h, 216g.
- Institut français d'architecture : 175, 185.
- Lionel Koechlin : 197.
- Rogers Stirk Harbour + Partners : 209
- Simon Texier : 185, 194.
- Samuel Picas : 198, 202dh, 202db, 204, 207, 212, 213, 214, 215, 216d et première de couverture l. 1 n°2, l. 2 n°2, l. 3 n°1, et l. 5 n°2.

Édition Mathilde Kressmann et Clara Mackenzie
Direction artistique Isabelle Chemin
Maquette Marylène Lhenri

Avec la collaboration d'Yves Nespoulous, Samuel Picas et Marie-Flore Limal

Photogravure Graphique Productions

Achevé d'imprimer en UE en février 2015

Dépôt légal 2008, édition revue et augmentée en mai 2013

ISBN 978-2-84096-796-5